DU MÊME AUTEUR

Aux Éditions du Mercure de France :

LES ÉTANGS DE WOODFIELD, roman, 1978. (Et collection Folio.)

PORTRAIT DE FEMME, L'AUTOMNE, roman, 1980.

LA PÂLEUR ET LE SANG, roman, 1983. (Et collection Folio.)

L'ENFANT AU SOUFFLE COUPÉ, roman, 1986. (Et collection Folio.)

SONATE AU CLAIR DE LUNE, roman, 1991. (Et collection Folio.)

Grand Prix des Lectrices de ELLE et Prix Valery Larbaud.

LES CORPS CÉLESTES

NICOLAS BRÉHAL

LES CORPS
CÉLESTES

roman

GALLIMARD

À Charlotte Sarah Solnitzki

J'ai des larmes
Plein mon sexe d'homme vers le ciel
Je tremble de ces montagnes d'éther
De ces amours plus beaux et plus noirs que la mort

PIERRE JEAN JOUVE

Le ciel

1.

Le ciel sans aucun nuage, parfaitement bleu et lumineux, confère au monde une stabilité soudaine. À première vue, il donne l'impression que le temps ne passe plus et qu'une telle limpidité, à la mesure de l'infini, nous protège de tout désordre.

Ce ciel d'été, au lever du soleil, est comme une récompense après le chaotique voyage des insomnies qui ont eu lieu dans la ville. Il a fait si chaud cette nuit, si lourd, que moi non plus je n'ai pas dormi. J'ai attendu longtemps, à la fenêtre, la venue du ciel. Ce gouffre noir rempli d'étoiles, je l'associais plutôt aux ténèbres. Quand les premières flammes du matin ont embrasé l'espace, le ciel m'est enfin apparu, uniforme et radieux! C'est étrange à quel point on y projette l'identité et la paix de l'univers, mais aussi l'idée d'une journée qui s'annonce. L'espoir est là, suspendu, à l'état pur. Il chasse nos craintes et nos indifférences. Rien que ce bleu redonne à chacun, ou presque, le goût passionné de l'existence. Les illusions du ciel ouvrent une route vers la joie : la joie sur terre. (Comme si les hostilités, les souffrances ne pouvaient plus avoir cours.) Ces joies éphémères ressemblent à des pulsions de vie furieuse. Ou Dieu sait quoi.

Depuis toujours, j'ai aimé interroger le ciel. Je me souviens qu'enfant je restais des heures à l'observer. Il me tenait compagnie. J'y voyais le miroir de mes rêves, contre lequel se brisait ma solitude. À Paris, le ciel est si changeant que, déjà, je ne me lassais pas de le scruter, comme on scrute la mer. Je trouvais là une forme de vie, complètement autonome (et très élevée, bien sûr) dont la nôtre en quelque sorte procédait. Je me disais que nos humeurs dépendent de son éclairage. Tantôt noir ou gris, il m'inondait de ses ombres, et je sentais à la longue mes désirs se faner (et je me demandais : « Qu'est-ce que je suis ? Combien de temps cela va-t-il durer ? »). Tantôt éclatant et bleu, quelle que fût la saison, la vie reprenait le dessus, et je m'accordais avec allégresse à la sérénité qui se déployait sans mystère.

Au fond, j'en suis encore là, à me poser, le nez en l'air, les mêmes questions. J'attends que le ciel m'appelle, qu'il m'adresse des signes, qu'il me donne des preuves. Parfois, un simple rayon, un simple frémissement de la lumière peuvent me remplir de certitude. Alors j'ai l'extraordinaire intuition que nous ne sommes pas seuls ! Parfois, englouti sous la masse des nuages, avec un tel poids sur mes épaules, je sais qu'il n'y a rien, qu'il n'y a pas d'ailleurs, aucun espoir possible. Nous en sommes tous là, j'imagine, ballottés entre l'être et le néant, la vie et la mort, l'évidence et le doute. Je soupçonne même ceux qui n'interrogent jamais le ciel d'être traversés d'une angoisse incommensurable, à l'idée de quitter un jour un système pour aucun autre. De basculer du nécessaire au contingent. À l'idée, donc, que la mort puisse être si gratuite !

Mon père me répétait souvent cette phrase d'Héraclite : *Tout arrive à l'existence par la discorde et la nécessité... Les contraires se mettent d'accord, des sons variés résulte la plus belle harmonie et tout est engendré par la lutte.* Mon père n'était pas un érudit, mais il avait le sens des contradictions.

Cette nuit, à ma fenêtre, pendant que je ne dormais pas, je songeais à lui. Je me demandais s'il était là-haut, parmi les étoiles, au cœur des ténèbres, en train de me considérer d'un œil attendri, ou bien au contraire de m'ignorer, tant je lui paraissais loin. En tous les cas, mon père me semblait très proche. Mais n'était-ce pas la nuit chaude sur ma peau qui me donnait la sensation d'être touché par une sorte de grâce, de divination? Ce n'était pas une impression funèbre ou morbide; je me sentais calme et confiant, justement, dans la vie. Puis j'ai vu une étoile s'enflammer, suivre une courbe à une vitesse foudroyante et disparaître. J'ai parié que c'était un signe de lui! Il m'a plu de le croire. Ensuite, je suis passé à autre chose...

Maintenant que la nuit est finie, que le soleil illumine tous les toits de Paris (comme ces images d'autrefois, dans les films d'avant-guerre), je respire. J'ai choisi de vivre ici, dans ce quartier, à cet étage, à cause du paysage que j'ai sans cesse sous les yeux : le ciel. Mieux que la Seine ou Notre-Dame, mieux que les arbres, il me renvoie aux événements objectifs, à la nature. Il me donne aussi le vertige : la peur de tomber ou de m'élever. Il me fait entendre la voix du vide ou celle du plein, selon les jours. Le vertige, c'est encore la peur de rester, de l'immobilité. Avec le ciel, décidément, tout est possible.

Maintenant que la nuit est finie, je pense à Vincent. Je me dis que certains vivants occupent le ciel plus mystérieusement que les morts. C'est une aptitude, sans doute, à se réfugier d'instinct dans la transcendance et la mélancolie. Une fuite vers le haut, une manière de reconnaître l'inachèvement essentiel au devenir. (Mon attitude est-elle si différente? Peut-être pas.) Vincent et moi, dans la contemplation, affirmons la même impuissance à dominer l'instant. En revanche, si Vincent aime à s'isoler souvent dans un recoin du ciel, je me suis retiré définitivement sur terre.

2.

Il y a bien longtemps que je pense à Vincent.

La toute première fois où je l'ai vu, c'était à Saint-Cloud, dans les jardins du collège. Je venais d'y être admis pensionnaire, en classe de première. Après les turbulences de soixante-huit, mon père avait décidé de m'inscrire dans ce collège aux règles strictes, afin de compenser ce qu'il appelait une « année perdue » et de me donner les chances d'avoir ce fichu bac! Je savais que ce collège mixte, outre son excellente réputation, attirait une société de jeunes gens issue de « classes plutôt huppées » (selon l'expression de mon père); ce qui n'était pas mon cas. Mais je n'avais aucun complexe. Ma timidité demeurait naturelle; elle ne cherchait à marquer aucune différence entre les autres et moi-même. C'était une attitude sans doute aussi morale : je tenais à cette image distante et secrète qui s'accordait à ma liberté de penser. Je n'aimais pas le débat. Garder les choses pour moi était mon seul argument. C'était enfin une attitude esthétique : la discrétion me semblait une vraie marque d'élégance. (J'avais donc souffert, en soixante-huit, de cette révolte tapageuse à laquelle je ne m'étais pas rallié.) Et j'étais plutôt heureux, cette année-là, d'entrer dans ce collège, vêtu du blazer bleu marine obligatoire, et de me conformer aux lois exigeantes d'une vieille institution, qui en auraient dégoûté plus d'un.

Je rencontrai Vincent le premier soir. Nous étions en septembre. Les pensionnaires avaient été invités à gagner le collège la veille de la rentrée, pour s'installer dans les chambres, ranger leurs affaires et permettre à ceux qui, comme moi, venaient de l'extérieur, de lier connaissance avec le lieu. Le bâtiment où nous dormions, mangions, était à l'autre bout du parc; il se divisait en deux ailes (pour les filles et les garçons). Ce soir-là, après dîner, comme la nuit tombait tard et qu'il faisait délicieusement bon, on nous laissa une heure de quartier libre, dans les jardins. Je me sentais un peu perdu; je n'avais encore parlé à personne. Plongé dans de fausses pensées, qui me donnaient un air méditatif, je m'assis sur un banc et me mis à regarder le ciel. Déjà, les feux du couchant commençaient à trembler; d'errantes lumières traînaient sur les pelouses et sur la cime des arbres. Le ciel était pâle, rempli d'oiseaux. Je m'y accrochais, comme à un repère dans ce monde nouveau. J'avais la tête posée sur le dossier du banc et je ne voyais que lui, que son désert, où de très vagues nuages ressemblaient à des dunes. Et là, soudain, au beau milieu du ciel, j'aperçus le visage de Vincent. Je n'en fus pas surpris, c'est ainsi, il me parut normal de découvrir ce visage à l'envers qui me souriait, ce corps derrière moi que je frôlais de mes cheveux, ce regard sombre qui se penchait vers le mien. Puis il disparut. Vincent s'éloigna sans se retourner, sans m'avoir dit un mot et, dès ce moment, je ne pus m'empêcher de penser à lui.

Oui, je pense que je dus éprouver, sur le coup, un inexplicable amour pour ce garçon inconnu. Quand je dis inexplicable, je prétends que je n'avais, jusque-là, jamais éprouvé de sentiment véritable envers quiconque. Mes seuls amis étaient des camarades de classe que je ne fréquentais pas et que j'oubliais sitôt rentré chez moi. L'amitié ne me manquait pas. Et je cultivais une solitude qui me convenait bien. Les filles n'exerçaient sur moi aucun attrait particulier. Certaines me semblaient belles, mais celles qui m'intéressaient profondément étaient les plus brillantes ou les plus douées. Il m'était arrivé d'en tenir, tout de même, une ou deux dans mes bras, sans néanmoins sauter le pas, même d'un baiser. En vérité, les garçons ne m'attiraient guère plus! En mon for intérieur, je comprenais que j'avais une grande inaptitude à l'amour. J'avais été élevé dans un culte de la famille auquel j'étais entièrement soumis. L'amour sécurisant que me vouaient mes parents me suffisait. Tout autre me paraissait dangereux. Mon père était revenu des camps malade. Dans les années cinquante, il m'avait conçu, déjà atteint d'un mal incurable. Et ma seule angoisse était de le perdre. Je dois préciser que mon expérience de la sexualité restait manifestement excessive. Cette émotion avait pris une dimension pour le moins tragique. Et toute jouissance me faisait mourir.

(Aujourd'hui, je suis incapable de survivre à cette mort de mon corps. Je m'en suis fait une raison. Je vis donc seul sur terre, dans une sorte de paix avec les autres et moi-même, un fatalisme inactif. Vincent m'a dit une fois : « Ainsi dépourvu de passion, tu ne commets aucune faute! » Ce n'était pas un reproche. Comme Luther se le demandait pour la foi, je me demande si une existence qui n'agit point est une existence sincère. Mais la passion est-elle le seul agissement? Au fond, je ne m'en crois pas dépourvu à ce point. La passion, comme le plaisir, n'appartient pas qu'à *la chose*, mais à l'esprit.)

Ce soir-là, dans les jardins, il me parut audacieux qu'on

puisse s'interposer ainsi entre mes yeux et le ciel. Quand, plus tard, il me fut permis d'interroger Vincent sur la raison qui l'avait poussé à s'approcher de moi, il fut incapable de me donner une réponse précise. Il me dit : « J'en garde un souvenir confus. Peut-être ai-je été attiré par ta nonchalance, sur ce banc ? Ou bien ai-je eu envie de te perturber ? » Je pense que Vincent dut plutôt avoir pitié de ce nouvel élève, rêveur et solitaire ; c'est pourquoi, de toute sa hauteur, il s'abaissa, un instant, jusqu'à moi. Vincent, descendu du ciel, me montra qu'il était suffisamment attentif pour partager avec l'autre son désarroi, son isolement (les reconnaître n'était-ce pas déjà y participer ?) ; et, inconsciemment, je dus espérer que si nous pouvions partager cela, pourquoi pas d'autres sentiments ?

En vérité, les mois qui suivirent, il ne se passa pas grand-chose entre nous. J'étais dans la classe de Vincent et je l'admirais. Je le trouvais intelligent, brillant et beau. Oui, beau ! Cela avait son importance. Il était aussi brun, ténébreux, dégourdi, que je pouvais être raide, lunaire et blond. Selon la théorie des contraires, chère à mon père, nos différences provoquaient en moi une attirance nécessaire. (Il représentait, en quelque sorte, le frère « différent » que j'aurais tant souhaité avoir !) Hélas, fidèle à mes convictions et à ma nature, je demeurais assez éloigné de mon groupe et de lui. Plus Vincent m'attirait, plus j'affichais une parfaite indifférence. Et, comme on m'aimait bien, on me laissait être à ma façon. Je ne refusais jamais un service dans notre vie communautaire et pratique. Le soir, après nos deux heures d'étude, quand je gagnais ma chambre, il m'arrivait de recevoir un camarade pour l'aider à comprendre ou à finir un devoir de lettres ou d'histoire. C'est ainsi que j'eus la visite de Vincent.

Cette fois j'en fus surpris, parce que, dans son travail, il ne

recourait à l'aide de personne. Il frappa, entra et me dit :
« Baptiste... » Entendre, dans l'intimité de ma chambre, sa
voix prononcer avec douceur mon prénom me procura une
sensation troublante. Mon cœur se serra. (N'avais-je pas
rêvé, sans le savoir, d'un instant pareil ? Vincent, dans ma
chambre, en train de m'appeler...) Je me souviens : je me
tenais à la fenêtre, en regardant le parc, l'espace ; je suivais la
course rapide des nuages. Il s'approcha de moi, tenant des
feuilles à la main, et il se mit à contempler le ciel.

« Les couleurs sont belles, murmura-t-il. On dirait celles
d'une mer, quelque part dans le nord, vue de la plage. » Puis
il ajouta : « Moi aussi j'adore regarder le ciel! Je peux le faire
des heures et des heures. Alors je n'ai plus envie de redes-
cendre. C'est l'imagination qui s'engouffre par la grande
porte. Crois-tu à la télépathie des sentiments ? »

Je répondis oui, sans réfléchir. La présence de Vincent,
trop proche de moi, dans l'encadrement de la fenêtre, me
fut soudain insupportable. Je m'écartai et m'assis sur le lit.
(Puis je m'en voulus de n'aimer Vincent que dans les
moments où la proximité de son corps me semblait impossible.) Il s'installa près de moi, étala des feuilles sur ses
genoux et me pria de juger son plan de dissertation, dont le
sujet portait sur Gide. Comme son plan était excellent, je me
méfiai de sa venue chez moi. Incapable de bouger, j'attendais qu'il parle ou qu'il s'en aille.

« Baptiste... » me dit-il encore. Il prit un air penaud, dut
admettre que je n'étais pas dupe, et se lança dans l'aventure.

Vincent avait besoin, tout simplement, de mon concours
pour rejoindre une fille de notre classe, cette nuit, dans le
parc. Comme ils ne pouvaient se retrouver dans une
chambre (tant la surveillance était policière d'une aile à
l'autre), ils s'étaient donné rendez-vous près du gymnase.
L'accès au parc était relativement aisé de ma fenêtre, à
cause du toit des cuisines, en contrebas.

L'histoire m'amusa et, sur le principe, ne me causait aucune gêne. Vincent en fut heureux et me remercia. Avant de sortir, il me dit : « Tu sais, avec les filles, je n'aspire pas au ciel mais à l'enfer. »

À l'heure convenue, tandis que je lisais dans mon lit, il entra de nouveau, me fit un clin d'œil et ouvrit la fenêtre. Vincent ne proféra pas une parole. Il disparut comme un voleur. Je l'entendis tomber sur les tuiles, et songeais, avec inquiétude, par quel moyen il parviendrait à remonter. J'aperçus son ombre se faufiler entre les arbres. C'est après, quand je me recouchai, que je fus envahi d'un étrange tourment. Je débusquai en moi, pour la première fois, un sentiment de jalousie. Mais qui jalousais-je ? Vincent ou la fille ? À quelle place aurais-je aimé le plus être ? La question de Vincent me revint à l'esprit : croyais-je à la télépathie des sentiments ? À l'évidence, oui. (C'était diabolique.) Naturellement, je ne réussis pas à m'endormir. Longtemps je fus agacé d'attendre Vincent, le cœur battant, comme une jeune fille.

Bien plus tard, dans la nuit, il frappa au carreau. Il avait pu, l'animal, se hisser par la gouttière jusqu'au premier étage et atteindre le parapet.

« Ça va ? me demanda-t-il.

– Ça va.

– Je me suis écorché les mains. »

Là, je n'en fus pas ému. Il avait les mèches en bataille, la chemise ouverte, l'haleine marquée par le tabac.

« Il fait froid dehors, dit Vincent. Heureusement, j'avais la clef du gymnase. »

Comment il se l'était procurée ne m'intéressait pas ! Maintenant je voulais dormir. Je le lui dis clairement. Il me sourit avec insolence (plus tard, je compris que l'insolence était chez lui un signe de tendresse). Je dus résister à mon envie de le gifler. Comme une épouse ? Comme une amoureuse accueille son amant infidèle ? Cette envie subite me fit rougir.

Il me dit enfin : « Il y a toujours quelque chose de perfide qui se dissimule dans le rêve... »

Je m'endormis, dès son départ. C'est au matin, quand j'ouvris les yeux, que je ne fus plus sûr de rien. N'avais-je pas rêvé ? Enhardi par le beau temps, par le ciel bleu, j'acceptais d'être jaloux (si c'était une illusion) de toutes les maîtresses de Vincent. Et je me promis de l'aider, une prochaine fois, à me rejoindre ainsi dans ma chambre. Rien que pour la sensation d'avoir été trompé.

3.

Le lendemain, nous feignîmes d'ignorer l'épisode de la nuit. Malgré moi, je me sentais coupable (d'avoir fauté, de m'être, à travers Vincent, échappé frauduleusement). Je supposais que je pouvais lui faire confiance. Si son escapade était découverte, il ne me dénoncerait pas. Mais ces sentiments de péché, de culpabilité, inconnus jusque-là, ne m'étaient pas désagréables. Je les couvais au fond de moi, avec d'autant plus de délice que je me savais innocent. Ma fenêtre n'appartenait-elle pas à tout le monde? En classe, je m'amusais à les observer tous les deux : Vincent et cette fille, dont j'ai oublié le nom. Ils cachaient bien leur jeu. Je finis par me demander si Vincent ne m'avait pas menti. Plus tard, je compris que c'était vrai. Je les surpris ensemble à s'embrasser, dans un coin isolé du parc. Et puis, surtout, il devint clair que Vincent était un coureur. Il adorait les filles et les femmes. Leur amitié, leur compagnie, leur parfum. Il aimait aussi entretenir avec certaines des relations exemptes de tout sentiment. (L'enfer n'était-ce pas pour lui d'aimer sans amour? De perdre son âme? De s'enfoncer loin dans la terre, jusqu'au noir absolu?)

Vincent ne me demanda plus jamais de passer par chez moi. Je n'en fus pas déçu. Au contraire, ma tranquillité m'importait plus que ses désordres. Je ne recherchais pas non plus son amitié. Mais je pensais beaucoup à lui. Je pensais que j'aurais désiré être Vincent, dans une autre vie. Trouver le parfait équilibre entre l'âme et le corps. Entre l'idée et le plaisir. Parfois, je me réveillais, le matin, conscient que j'avais rêvé de lui. De mes rêves, je gardais de vagues souvenirs... Des impressions de joie ou de douleur. Je les censurais librement pour éviter toute mémoire nécessaire. Vincent ne me fascinait pas. C'eût été trop simple! Être fasciné, c'est être sous le charme. Or, il ne me charmait pas. Il m'occupait. L'esprit, la tête. Comme une force secrète qui me faisait vivre des expériences ignorées. Je considérais Vincent comme un double de moi-même que je n'étais pas. Sans doute, oui, l'aimais-je! J'aimais le regarder, l'imaginer, un peu à la façon dont je pouvais m'évader de mon propre corps. En me noyant dans le ciel, par exemple.

Le week-end, je quittais le collège et le passais chez mes parents, dans le XVIIIe arrondissement. Mon père était malade, il toussait. Il voulait que je sois professeur, fonctionnaire. Ça m'était égal. Je n'avais aucune vocation particulière, sinon celle de lire, des journées entières, d'assimiler sans effort d'innombrables pages (ce qui, dans la perspective de l'enseignement, me faciliterait la tâche). Mon père, qui était ouvrier, me disait : « Un professeur, c'est un maître. Et je ne souhaite pas que tu sois esclave! » Je l'écoutais, docile, je l'écoutais aussi tousser. Il me disait : « Comme je t'envie d'étudier! Moi, j'ai beaucoup lu, tout ce que je trouvais, mais je n'ai jamais étudié. Lire, c'est connaître. Étudier, c'est savoir. Je connais pas mal de choses, mais je ne sais rien. » Pendant ce temps, ma mère s'occupait de mon linge. Elle me blanchissait. Le weed-end, je ne pensais plus à Vincent.

28

Je n'en éprouvais pas le besoin. Et, aux vacances, quand je songeais au collège, à ma vie là-bas, je revoyais la vaste étendue du parc, des pelouses, les tennis, mais tout était désert, inhabité. Sans âme.

Un dimanche de printemps, je fis un tour, seul, sur la butte Montmartre. (Mes parents habitaient en bas, dans un quartier populaire.) L'air était chaud, j'avais pris un livre, et je marchais dans les ruelles pavées, bordées de belles maisons et de petits jardins. Soudain, je reconnus la voix de Vincent. Je devinai qu'il devait être juste là, derrière cette grille où s'entrelaçait une épaisse glycine. Alors tout me revint : les élèves du collège, leurs visages et leurs noms. Me revint enfin, dans une grande indulgence envers moi-même, ma jubilante ferveur à aimer Vincent.

Je réussis à trouver une étroite ouverture, dans la glycine, par où faufiler mon regard. Vincent était assis à une table, devant une orangeade, au soleil. Il portait une chemise bleue et des lunettes de soleil. Il fumait. Autour de lui, il y avait sa famille. (Sa mère était belle, élégante et très blonde, je le savais.) Ils échangeaient des propos sur un ton assez mondain. Parfois, Vincent éclatait d'un rire fort. Il faisait l'enfant. Je ressentis ce qu'il avait dû ressentir, la première fois où il s'était approché de moi, par-derrière, par surprise : une grande compassion de moi-même. Si j'avais été lui, découvrant un espion dans le feuillage, j'aurais flanqué ce regard dehors! Je me serais levé pour disparaître à l'intérieur. Ne me voyant pas, il n'en fit rien. Au contraire, Vincent m'offrit tout le loisir de lui saisir la main, le bras, de le tirer, de l'attacher à moi. Quelques instants seulement, il se confondit à la nostalgie éternelle d'un acte que, par ailleurs, je n'aurais jamais tenté. Là n'était pas la question.

En poursuivant ma promenade, ce hasard me ravit. Désormais, il me plut de savoir que Vincent habitait près de chez moi. (Sur les hauteurs, certes, plus près du ciel, ce qui lui allait bien.) Cela créait un lien. Une complicité qu'il ignorait encore, dont j'avais le suprême avantage. Une deuxième coïncidence m'amusa. Levant les yeux vers la plaque de sa rue, je fus stupéfait de me trouver rue Saint-Vincent.

J'aurais pu m'en passer! C'était ainsi. Une double exposition. Évidemment, en y repensant, je me dis qu'il n'y avait pas de hasards. Le hasard était une fabrication de l'esprit pour se rassurer et ne jamais s'interroger sur les phénomènes naturels du destin.

Le lendemain, entre deux cours, je lui racontais ma promenade. Je n'omis aucun détail. Ma franchise suscita un sourire.

« Il fallait sonner! Je t'aurais convié à boire un verre. Ou bien j'aurais marché avec toi. Je m'ennuie tant là-haut! Tu ne peux pas savoir...

– Je n'ai pas osé. »

En vérité, c'était autre chose. Rester aux abords du jardin, de l'intimité de Vincent, m'intéressait plus que de pénétrer dans l'univers privé de sa maison. Je me foutais d'en voir plus! En revanche, marcher avec lui m'aurait bien plu. J'aurais aimé le suivre. Je lui dis aussi que j'avais lu le nom de sa rue. Son visage s'assombrit. Une expression de gravité ou de tristesse figea ses traits. Je ne m'y attendais pas.

« Toi, tu n'es pas charitable! dit-il. J'ai le sentiment qu'habiter là, dans cette rue, me trahit toujours. Je ne peux pas me cacher. Imagines-tu un juif, pendant l'Occupation, réfugié rue des Juifs?

– Quel rapport?

– Je m'appelle Vincent et je ne suis pas un saint. »

Je me pris encore plus d'affection pour lui, à ce moment-là. Et je lui demandai s'il croyait au hasard.

« Dans dix ans je répondrai à ta question. »

Puis nous entrâmes en classe. Sa réponse en était une. J'en fus convaincu. Il y avait aussi cette main qu'il m'avait tendue : une promesse. Comme Vincent ne parlait pas à la légère, je pouvais espérer le revoir dans dix ans! Qu'il m'offre un avenir avec lui était sans doute mieux qu'un passé. (Le passé, c'était aujourd'hui.)

En juin, il y eut les épreuves de français et, dès que j'eus connaissance des résultats, je me rendis à Saint-Cloud pour les communiquer au directeur. Il me félicita et me donna une liste d'ouvrages de philosophie à lire avant la fin de l'été : Platon, Aristote, Descartes, Pascal. (« Cela vous préparera, me dit-il, et vous donnera de l'avance. ») Puis il sembla réfléchir, comme s'il oubliait de me dire quelque chose. Il ouvrit un tiroir et me transmit un message de Vincent. Le numéro de téléphone de son lieu de vacances. J'appelai une semaine plus tard. Vincent était en Corse, dans une maison de famille. Nous avions eu à peu près les mêmes notes sur le même sujet. Il avait une voix claire, joyeuse. Je le remerciai d'avoir pensé à moi. Il me dit : « Mais je pense à toi! Je suis heureux de t'entendre. » Il me parla longuement du ciel, de ses baignades, de ses lectures.

« J'ai commencé Platon, le *Phédon*, où il est dit que nous avons acquis une connaissance avant de naître.

– Comme nous l'avons perdue en naissant, ajoutai-je, à quoi bon ?

– Je ne te savais pas si terre à terre.

– Je plaisantais. Se souvenir c'est peut-être, en effet, se ressouvenir.

– En tous les cas, je n'oublie pas ta question. À propos du hasard.

– Oh! Nous avons le temps. »

Je l'entendis rire, puis se taire. Un ange se joignit à nous. Vincent me dit encore :

« Baptiste... Tu es un étrange garçon. À la fois présent et absent. Comme il te plaît. C'est une qualité d'écrivain. Écris-tu ?

– Non.

– Alors que fais-tu ?

– Rien. Je pense, je lis, je rêve. Au fond, ce n'est pas rien !

– Et les filles ?

– Les filles ne m'aiment pas.

– Au collège, elles te trouvent très beau. Mais trop lointain. De toute façon, l'amour, avec les filles, n'est pas orienté comme tu le dis. Tu changeras ou pas. Cela n'a pas une grande importance.

– Aucune importance. »

Comme on criait son nom, il m'embrassa et raccrocha. Qu'il m'embrasse me fit du bien. Et me fit peur. Une peur sans objet véritable. En creusant un peu, je craignis de penser trop à lui jusqu'en septembre.

J'avais téléphoné à Vincent d'une plage de Bretagne. En quittant la poste, je m'assis à une terrasse, devant la mer. Il y avait là une bande de filles, dont certaines me regardaient du coin de l'œil. Me trouvaient-elles beau ? Cela avait-il pour moi de l'importance ? Il me sembla que je leur plaisais bien, avec mon air de Parisien et mes yeux bleus, perdus dans le ciel. (À ma place, Vincent les aurait abordées, sans réfléchir. Sans scrupules.) Une victoire trop facile me dérangeait. Les odeurs trop intimes de l'autre me dérangeaient aussi. Je préférais chasser ces idées de ma tête. Aussitôt mon corps réintégra mon âme et, mon livre sur les genoux, je m'envolai vers l'empire céleste de Platon.

4.

Ma seconde rentrée à Saint-Cloud fut différente de la précédente. Je pressentais, d'ailleurs, que cette année serait une année décisive. Tant sur le plan de mes choix (concernant l'avenir), que sur celui du lien qui m'attachait à Vincent. Je pressentais aussi quelque chose de lourd dans l'air, une menace, une tempête. Interrogeant le ciel, chaque fois il me semblait sombre, chargé de sens et bas. Je décidai donc de l'éviter, afin d'avoir les pieds sur terre.

Quand il m'aperçut, Vincent brava la foule et se dirigea sur moi. Devant tout le monde il m'embrassa, un rapide baiser sur la joue. J'eus un mouvement de recul. En vérité, je n'éprouvais aucune gêne à ce qu'il me touche sous le regard des autres. Il n'y avait aucun mal. Ma gêne était physique. De si foudroyantes pulsions me raidissaient. Ensuite, me souvenant que Vincent m'avait déjà embrassé, au téléphone, ce baiser-là me parut une marque de fidélité. Décidément, ce garçon ne parlait pas à la légère. Vincent me reprocha de ne pas l'avoir rappelé. De ne pas lui avoir fait le moindre signe, puisque je connaissais son adresse. Il renchérit :

« Tu as écrit ?

– Je n'ai écrit à personne.

– Ce n'est pas ça... »

Il passa une main dans ses mèches, les dégageant du front, et m'affirma, très sérieusement :

« Un jour, tu écriras, tu verras.

– Quoi ? »

Il haussa les épaules et me quitta pour embrasser les filles. Je m'aperçus que compter parmi les amis de Vincent m'attirait la sympathie des élèves. Mais étais-je son ami ? Et était-il le mien ? Dans la hiérarchie des sentiments, l'amitié me semblait le plus élevé, le plus pur. (J'appris, plus tard, en menant ma vie, que l'amitié n'était pas dépourvue d'impuretés. De poussière.) J'étais prêt à jouer le jeu, s'il le voulait bien. À faire un pas, puis d'autres. Je me mis à lui parler davantage, à chercher à le connaître mieux. Vincent m'apprit qu'il avait eu un frère, mort dix ans auparavant d'un stupide accident. Ce frère aîné s'appelait Thierry, il avait fait une chute de cheval. (« Une chute, digne de ce nom, est toujours fatale », me dit-il, en ne me lâchant pas des yeux.) La mort avait eu lieu en Corse, près de leur maison. Ce drame lui avait provoqué des troubles de dyslexie. (« Encore aujourd'hui, ajouta-t-il en plaisantant, je confonds l'envers et l'endroit, l'être et le paraître, le Bien et le Mal. ») Puis il m'invita dans sa chambre. Un univers méticuleusement rangé, que j'avais déjà entrevu par la porte souvent ouverte. Je fus même frappé par le soin qu'il portait aux choses. Son bureau était impeccable, ses étagères irréprochables. Rien ne traînait. Je lui enviais ce rapport simple et direct aux objets. (« J'ai été élevé, m'expliqua-t-il, dans le souci de la propriété. Des maisons, des meubles, des vases... Quand posséder est une habitude, on souhaite qu'elle ne soit pas encombrante. ») Je me mis à regarder ses livres : des poètes et les Encyclopédistes. Vincent prétendait n'avoir là que l'essentiel ! Il saisit une photo dans un cadre d'argent, y posa ses lèvres, puis me la tendit.

« C'est ce que je voulais te montrer. Mon frère. C'est Thierry. »

Je pris le cadre qui me tomba des mains. Ma maladresse me fit rougir. Vincent le ramassa et me le tendit de nouveau. Grâce au Ciel, le verre était intact! J'observais l'adolescent, l'air hautain, sur un cheval noir.

« C'est l'arme du crime? » demandai-je. Aussitôt je me rendis compte que j'avais parlé comme Vincent. Il cultivait une sorte d'art de la formule, concentrée, incisive. Il acquiesça de la tête et se rapprocha de moi.

« Quel âge avait-il?

– Sur la photo, quinze ans. Il est mort, cet été-là. Derrière, tu aperçois la maison. Elle appartient à ma mère. Je n'aime pas beaucoup la maison, trop sombre à cause des pins. Mais j'adore la Corse. Le pays, la lumière.

– Et ton père? Que fait-il?

– Mon père?... Il me déteste. »

Vincent rangea la photo et je n'insistai pas. Sa remarque, néanmoins, me surprit. L'image que j'avais volée de cette famille m'était apparue douce et facile. Je n'y avais pas imaginé une seconde ni la mort, ni la haine. Il me raccompagna jusque dans le couloir. Là, il me prit par les épaules et changea de ton. Il se fit léger, insouciant, badin.

« Tu as vu la prof de gym?

– Oui et alors?

– Elle a de belles cuisses, non?

– Tu as gardé la clef du gymnase, j'espère.

– Non, je l'ai rendue à son clou. »

Vincent retira son bras et s'adossa contre le mur.

« Ça t'énerve, hein, de parler des cuisses des femmes?

– Non. Je m'en fous!

– D'ailleurs, je ne te demande pas de m'en parler, mais de m'écouter. M'écouteras-tu?

– S'il le faut, oui. »

Il m'adressa un beau et franc sourire qui éclaira sa sombre beauté. Puis, d'un geste leste, il passa une main dans mes cheveux et me décoiffa.

« Qu'est-ce que tu es blond ! »

Je sentis le compliment. On se sépara ; je l'entendis siffloter derrière moi. De retour dans ma chambre, je regardais dans un miroir ma mine décoiffée. J'aurais aimé que Vincent dérange aussi mes yeux trop bleus, ma peau trop pâle, mon nez trop fin. J'aurais aimé qu'il souffle comme le vent et bouleverse l'ordre des choses, de mon visage. (Comme le vent, c'est-à-dire en passant, en rasant la surface, sans y laisser de blessures.)

Mais l'ordre et le désordre sont des concepts bien discutables. Difficile de passer du subjectif à l'objectif ! Ce fut notre première leçon de philosophie. Nous avions un professeur séducteur et attachant. C'était un homme aux grands yeux gris, d'âge indéterminé, qui, toute l'année, nous fit cours sans jamais quitter sa chaise et son bureau. Il n'écrivait pas au tableau (ou si rarement), n'apportait pratiquement aucun livre, aucune note. Il arrivait les mains dans les poches, s'asseyait, prenait alors une attitude de Bouddha et commençait à parler. Il prétendait que la connaissance relevait d'un instinct mental, comme le calcul. Pour lui, les livres restaient du domaine privé, du travail de la nuit. Le jour, nous devions nous exercer à nous souvenir, traiter un problème, le développer, sans autre outil que la mémoire, l'entendement et la rigueur. C'est pourquoi il venait nous voir sans bagage apparent. Il procéda à l'ouverture de ses cours en nous précisant : « En philosophie, il court une mauvaise légende : un enseignement peut se poursuivre au café, dans la rue, n'importe où, si le professeur est disponible ou échevelé! Vous parlerez de moi où vous voudrez, mais, hors d'ici, je ne parlerai pas avec vous. En revanche, n'oubliez jamais que, entre ces murs, vous pourrez *tout* me dire.»

«Comment dire tout? demandai-je à Vincent, sur un banc du parc.

– Voilà une question d'écrivain», rétorqua-t-il, en mimant le prof derrière son bureau.

Je ne comprenais pas pourquoi il évoquait si souvent l'écriture. Où voulait-il en venir? Personnellement, je n'avais aucun désir (pas même de velléités) de ce côté-là. Écrire était un projet, et je n'en avais pas. Je n'avais rien devant moi, sinon une route, tracée par mon père, avec, heureusement, le ciel, au-dessus, pour seul voyage. Écrire, c'était aussi trouver une identité, une raison d'être. Qui j'étais? Bien sûr, la question m'intéressait mais, à cet âge, je n'avais pas de réponse précise, et pour cause! L'avenir me faisait peur. La vie, la mort me faisaient peur. Et le désespoir. Et tout tremblement. Je tremblais souvent, incidemment, nerveusement. Quand, à treize ans, j'avais compris que jouir c'était trembler (si violemment que je ne m'étais plus arrêté), je n'avais plus eu envie de recommencer. Des années et des années plus tard, j'en parlais un soir à Vincent. Il me dit qu'il attribuait cela à un excès de sensibilité ou de sensitivité. Selon lui, il suffisait peut-être que je nomme *frisson* ce tremblement, pour que je n'en aie plus de tourment. En amour, le frisson était une forme de sacrifice. On sacrifiait, on abolissait, le corps social, pudique, pour entrer dans une sorte de transe qui ressemblait presque au bonheur. Il ajouta, en guise de conclusion : «Cesse un peu de lire Kierkegaard et plonge-toi dans Sade!» Il n'avait pas tort, mais je ne lui obéis pas. En attendant, d'une idée à l'autre, j'ai tissé une correspondance entre l'écriture et la sexualité. Il y aurait beaucoup à dire! Seulement ceci : si, à l'époque, j'étouffais en moi tout désir d'écrire, c'était dans le lot de tous mes désirs en général. (Quoi qu'on en pense, la nécessité d'agir en passe par le désir.)

Une nuit, je rêvais au frère mort de Vincent. Il vint me visiter, sur son cheval qui tournait autour d'une piste de cirque. Je me trouvais parmi les spectateurs, d'innombrables enfants qui hurlaient, chahutaient et dérangeaient mon attention. Le cavalier commença une série d'acrobaties époustouflantes. Puis il tomba, et les enfants se turent. Moi seul me dressai et me mis à crier : « Vincent! » Ma propre voix me réveilla. Réalisant que j'avais prononcé le prénom interdit, je craignais d'avoir été entendu. Entre les chambres, les cloisons étaient si minces qu'il m'arrivait de distinguer les ronflements de mon voisin.

Une autre nuit, je fis à peu près le même rêve. Mais le jeune acrobate s'était substitué à un homme d'âge mûr, que j'identifiais vaguement à mon prof de philosophie. Je savais, cette fois, que l'homme allait tomber. Ma certitude était claire. En effet, il tomba. Il y avait du sang dans ses cheveux. La vision était terrible. Je ne pus m'empêcher d'en parler le lendemain autour de moi. Nous nous tenions, quelques-uns, dans la bibliothèque. Vincent ne marqua aucune surprise à ce que je puisse rêver de son frère. (Mais je gardai pour moi mon cri dans la nuit.) Je me demandais si la force des images n'en faisait pas un rêve prémonitoire. Un garçon de ma classe me dit que le rêve, étant un appendice de la vie, gardait donc ses racines dans la durée, même éclatée, de la réalité. Vincent, lui, évoqua le mystère du sommeil. Le sommeil et la foi avaient des similitudes : c'était la porte ouverte sur l'*au-delà*. L'au-delà de la conscience, l'autre côté du mur du temps et de l'espace. Rêver était, pour lui, une rédemption, une sagesse lyrique. (L'unique et vraie sagesse, celle qui ne nie pas le mystère.)

Un mois à peine s'était écoulé, quand mon père fut hospitalisé, à Bichat, pour s'éteindre très vite, il valait mieux. Je fus prévenu pendant un cours. Je quittai le collège précipitamment. Ma mère m'attendait dans un taxi, elle me serra la main et chuchota : « Tu dois lui être fidèle. Ton bac, tes études. Le reste, tu verras. » Je ne répondis pas. À travers la mort de mon père, *le reste* pouvait se mettre à compter. (Mais n'était-il pas trop tard ?) L'horizon des plaisirs, de la légèreté, se profilait sous un ciel sans nuages. Je me sentais à la fois abasourdi et délivré. Oui, je lui serais fidèle, mais à quel prix ? Je ne voulus pas voir son corps. Dans l'appartement, je sentis mon père un peu partout : dans un reflet de lumière, sur le tapis, à travers le chant d'un oiseau, pulvérisé dans l'air, mais encore plus lucide que je pouvais l'être ! Je crus même l'entendre tousser. (Je dis : « Papa... »; il répondit : « Baptiste, je suis là. » Ces mots dans ma tête avaient le son de sa voix, de son râle.) Mon père fut enterré, sans aucune cérémonie, au cimetière juif de Bagneux. Il y avait peu de monde, il y avait Vincent. Il s'était arrangé pour représenter la classe et le collège. Puis nous raccompagnâmes ma mère et sa sœur, dans sa petite voiture de sport ; je décidai de rester avec lui. Vincent m'emmena dans un bar de Montmartre. (Oui, le reste devait exister !) Nous bûmes beaucoup. Je lui parlais de mon père, du camp dont il était miraculeusement revenu, et de l'enfance. Vincent m'écoutait religieusement, tandis que l'ivresse me gagnait. Puis il me proposa d'aller chez des prostituées. Je ne sus quoi dire. L'alcool me donnerait-il des ailes ? Ivre mais pas fou, j'en doutais.

« Tu es pédé ou quoi ? me demanda-t-il.

– Non.

– Impuissant ?

– Désarmé.

– Laisse tomber. »

Vincent sortit des billets de sa poche et nous marchâmes jusqu'en haut de la butte. Arrivés devant le Sacré-Cœur, accoudés au parapet, à son tour il me parla de son père. Très jeune, il avait décelé la haine inexplicable de son père envers lui. À la mort de Thierry, ce sentiment avait empiré. C'était une haine insidieuse, qu'il lisait dans son regard, reconnaissait dans des remarques blessantes, un agacement inlassable. « Mon père est aussi blond que toi, avec des yeux très clairs. Comme un boche, tu comprends ? C'est une question de peau. » Puis, regardant les lumières de la ville, j'entamai un discours sur les études, les examens, l'avenir.

« Si je ne réussis pas, j'aurai trahi une promesse. Je m'en voudrai à mort !

– Qu'est-ce que ça signifie : réussir ?

– Réussir son avenir, c'est du même coup réussir son passé. Lui donner un sens, une légitimité.

– Sans doute. Mais la culpabilité porte le masque de la Bête, du Malin. Dieu, si on y croit, fait mener aux coupables une vie d'enfer. Tu y crois ?

– Je crois, oui. »

Vincent soupira longuement. Cette nuit-là, il devint vraiment mon ami. Nous contemplâmes les toits en fumant une cigarette. J'étais heureux que les études reprennent demain. (Les prostituées, j'étais prêt à en faire mon deuil.)

5.

Avec Vincent, tout avait débuté par le fantasme (pendant un temps, il avait été la métaphore vivante de quelques illusions et émotions). Maintenant, c'était autre chose : le rapprochement créait un vrai désir, un sentiment qui ne m'agitait plus, et en lequel j'acceptais d'engager ma responsabilité. Hors de ce qu'il continuait à symboliser pour moi (Vincent demeurait à bien des égards une métaphore), je sentais mon réel pouvoir à cerner toute demande ou toute attente de sa part, dont ma réponse l'eût encouragé à vivre. C'était la première fois de mon existence qu'un individu m'inspirait un dévouement! Théoriquement, s'il avait fallu, j'aurais sauvé Vincent de la noyade. Pratiquement j'aurais sacrifié, sans hésiter, mon égoïsme pour apaiser une de ses souffrances. Je me disais que, dans la vie, seule la mort suscite vraiment l'amour, quel qu'en fût le cliché! On aime celui ou celle qui vous soutient à enterrer quelqu'un. On aime celui ou celle qui vous aide à ce que la mort ne soit plus un obstacle mais une transparence.

De son côté, Vincent me prouva qu'il partageait aussi ce sentiment. Il m'offrit un livre de collection (les œuvres complètes de Verlaine) avec, sur la première page, une dédicace écrite à l'encre de sa main (une citation de Cicéron) :

Ils me semblent arracher du monde le soleil, ceux qui écartent l'amitié de la vie, alors que les dieux immortels ne nous ont rien donné de meilleur et de plus doux.

« En quel honneur ? » lui demandai-je, ému.

Il parut un peu gêné, non de me répondre, mais que j'éprouve le besoin de le questionner.

« Je ne sais pas. Tout cadeau n'est-il pas honorant en soi ? Ce qui importe, dans mon geste, c'est Verlaine... J'ai songé, si tu ne les avais pas, que ses poèmes t'iraient comme un gant. Tu pourrais y couler non seulement ton âme, mais ta main. Pour qu'un livre soit inoubliable, il doit donner l'éternel regret qu'on ne l'ait pas écrit ! »

Je mis le livre sur mon cœur, comme le signe d'une fraternité secrète. Je connaissais Verlaine, ses poèmes les plus célèbres, mais pas à ce point ! En vérité, je compris que le choix de Vincent ne me provoquait aucun regret. J'eus beau me délecter de certains vers (c'était, le soir, une pause délicieuse après le travail que m'exigeait la philosophie), ni mon âme ni ma main ne me démangeaient... En revanche, je relisais inlassablement la phrase de Cicéron, sous laquelle se dessinait la belle signature de Vincent. Franchement, cette phrase, j'aurais aimé en être l'auteur ! Et je glissais allègrement des *Fêtes galantes* à *De l'amitié*.

La philosophie resserra aussi nos liens. Elle m'ouvrit au débat public et m'offrit la chance de taire un certain silence. Je découvris qu'il n'y avait pas une chose *ou* une autre, mais entre elles deux un rapport nécessairement dialectique, dont le mouvement aisé ou réticent était un gouffre (à remplir) pour la pensée. Ainsi, quand je regardais le ciel, je voyais maintenant la terre. Pendant les cours, il m'arrivait de m'échapper à travers les vitres et de m'asseoir sur le bord d'un nuage. Ce n'était plus pour rêver, mais réfléchir, considérer, du bas du ciel, les hautes valeurs de la terre et des hommes. Mon professeur ne m'accusait jamais de distraction, il me disait : « Vous avez raison, Baptiste, de chercher loin et haut ce qui vous manque : une idée, une solution, si vous devez la trouver ! L'essentiel est trop souvent ailleurs. L'essentiel est de savoir, chacun pour soi, ce qui demeure l'ailleurs le plus fécond, le plus substantiel... » Alors, je m'y rendais à cœur joie. Je m'envolais et, parfois, au détour d'une pensée, d'un chemin du ciel, je rencontrais Vincent.

« Que fais-tu là ?

– Comme toi, j'essaie d'approcher une juste vérité. »

La vérité était que Vincent était le plus doué de nous deux (et de la classe) pour l'approcher. Il avait les meilleures notes, il travaillait, comprenait sans effort et me traduisait en mots simples ceux qui me semblaient compliqués. À l'évidence, la philosophie passionnait Vincent. Il me disait que c'était sans doute l'unique activité qui l'empêchait d'avoir envie de baiser ! (Il redoutait que la sagesse s'installe sous sa ceinture.)

« Il n'y a pas de raison, rassure-toi !

– Il y a une raison à tout. À force de raisonner, je deviens trop raisonnable. Je vais finir comme toi : un pur esprit...

– Tu plaisantes ?

– Corps ou esprit, tu es un pur. Un pur produit de perfectionnement moral, de l'ascétisme. Et tu me plais ainsi ! »

Bon. Comme il m'importait de lui plaire, j'acceptais sans la discuter sa définition. Après les vacances de la Toussaint, Vincent revint au collège avec un air de libertin. Il avait rencontré une femme, dont il me vanta la cambrure des reins et la docilité. Pendant dix jours, ma mère et moi avions vidé les armoires de mon père, classé ou jeté ses papiers. Nous nous étions rendus sur sa tombe, sous les grandes eaux du ciel. Puis, un soir, dans un restaurant, rue Caulaincourt, avions fêté mon dix-huitième anniversaire. Ma mère m'informa, au dessert, que l'an prochain, après mon bac, elle quitterait sans doute Paris, afin de s'installer définitivement dans une maison de retraite, quelque part en Provence. (C'était tout réfléchi. Il fallait m'y résoudre.) Si je voulais poursuivre mes études à la Sorbonne, elle m'achèterait un studio dans le quartier de mon choix.

« Génial! s'exclama Vincent. J'ai toujours rêvé d'une chambre, sous les toits, dans le quartier Latin.

– Il ne s'agit pas de toi! Je n'ai aucune idée précise. Quelque part, je crains que l'année s'achève. Et de quitter le collège. Cette vie ici me convient bien. Si je m'écoutais, je raterais le bac.

– Ah! Ah! Monsieur trahirait sa promesse...

– Je m'en crois incapable. J'ai peur, Vincent, de me retrouver face à moi-même. Comme avant. »

Aussitôt il me sourit et, d'une main, me décoiffa, avec une tendre jubilation.

« Je ne me séparerai pas de toi comme ça! dit-il. Nous allons continuer. Et souviens-toi : cette fameuse question. Sur le hasard. Je prépare ma réponse. »

J'avais l'impression d'une lente construction, pierre après pierre. (Cicéron ne se demandait-il pas : *Pour quelle raison arracherions-nous entièrement l'amitié de la vie, afin de ne risquer par elle aucune peine?*)

Il se passa pourtant entre Vincent et moi un incident troublant, qui, s'il avait eu lieu un an plus tôt, aurait trouvé sa place dans l'ordre de mes fantasmes. Là, ce fut différent. Je n'avais nul besoin d'être ramené en arrière. Heureusement, cela ne changea rien entre nous, ni sur le fond, ni sur la forme. (Ce fut comme deux parenthèses, contenant un blanc, dans notre rapport dialectique.)

En philo, nous nous répartîmes les premiers sujets d'exposé. Notre professeur souhaitait interrompre notre solitude et nous donner l'habitude de travailler par groupes de deux ou trois. Sans nous concerter, Vincent et moi choisîmes le même sujet : dans la *Métaphysique* d'Aristote, la philosophie comme science et la méthode d'induction.

Nous lûmes séparément les chapitres concernés, puis un soir, après dîner, nous nous donnâmes rendez-vous dans sa chambre. Vincent avait sorti deux verres, qu'il remplit de vodka tiède (il cachait soigneusement la bouteille dans une mallette fermée à clef). Nous trempâmes nos lèvres et commençâmes à travailler. Nous étions à son bureau, c'est-à-dire à l'étroit. Les idées nous venaient facilement : l'exposé nous semblait simple à rédiger. Nous bûmes deux ou trois verres. C'était grisant, mais je gardais toute ma tête ! Vincent devint-il plus saoul que moi ? Il avait les yeux brillants et ses pieds me frôlaient. Ce contact ne me dérangeait pas. Je ne lui accordais aucune importance, aucune conséquence. Vincent se plaignait que sa chambre fût surchauffée. C'était vrai, il y faisait très chaud. Il entrouvrit la fenêtre et déboutonna sa chemise. Tandis que j'écrivais, il me dit : « Tu es beau, quand tu écris ! Je l'avais déjà remarqué. J'aime te voir écrire. » Je lui souris avec sympathie. Soudain il saisit ma main et la plaça sur sa peau, à l'emplacement de son cœur. Je me sentis rougir, mais ne bougeai pas. L'amitié, n'est-ce pas aussi toucher le cœur de l'autre, sans mauvais esprit ? Puis il ferma les yeux. Sa respiration changea et se fit haletante. Là, je ne marchai plus. Je fus déçu : caresser sa peau, qu'il avait douce, percevoir les battements de son cœur continuaient en quelque sorte notre complicité sentimentale, sans en dénaturer la romanesque pureté. Eus-je tort d'interpréter sa respiration comme une invitation secrète à d'autres caresses ? Il se peut. Au fond, les émotions du corps, dans leurs expressions intimes, n'ont pas forcément d'effets coupables. Je retirai brusquement ma main. Vincent rouvrit les yeux, comme s'il quittait un songe. Il se leva, presque pâle, sortit de la chambre un bref instant. Quand il revint, je fus soulagé. Je lui souris et le priai de me servir un dernier verre. (Vincent, dans le couloir, avait boutonné sa chemise.) Nous ne parlâmes jamais de cet épisode. À quoi bon ? Dès qu'il reprit sa place, nous renouâmes avec le cours normal des choses et du temps. En classe notre exposé fut jugé brillant ; et le prof nous applaudit comme d'excellents duettistes. Le seul commentaire que me fit Vincent, qui me parut insidieusement évoquer l'incident de la chambre, m'amusa sans détour :

« Nous avons eu quinze sur vingt en métaphysique. S'il s'était agi de la *Physique*, toi et moi aurions atteint le plafond ! »

C'était joliment dit et joliment offert à l'oubli.

Pourtant je ne saisis pas son offre et, aujourd'hui, tous les détails me sont revenus, avec un léger pincement au cœur. Jamais plus je n'ai retouché Vincent, du moins de cette façon. Mais je garde intact le souvenir de sa peau, aussi lisse et insondable que le ciel. Ma sensation est même plus forte dans la durée du souvenir que dans l'instant.

Souvent, le corps réagit après coup à ce qui n'est plus et lui manque. C'est le pouvoir des morts sur les vivants. Le seul pouvoir, pour moi, du passé sur le présent. Le passé a d'incroyables prolongements physiques ! Et mon histoire avec Vincent a quelque chose d'insurmontable...

6.

Plus l'été approchait, plus mes yeux se cernaient. Cette année-là, préoccupé par l'anxiété des épreuves, je passais les dernières vacances (à Pâques) dans le XVIIIᵉ arrondissement, à lire et relire inlassablement mes notes. Sourd au chant des sirènes qui m'avaient invité à partir chez les uns ou les autres, à la mer ou à la montagne.

Je reçus une carte de Vincent, postée de Corse, avec ces mots : « Dommage que tu ne sois pas venu ! Le ciel est comme tu l'imagines. Je suis seul avec ma mère et j'en profite pour l'aimer. Je travaille, je travaille et je coule... Vivement bientôt ! Je t'embrasse. » Il avait raison : bientôt était pour chacun de nous la planche de salut.

Le dernier cours de philo arriva. Nous étions prêts. Nous bavardâmes avec le prof, tandis que le soleil et les parfums entêtants des fleurs donnaient à la classe une atmosphère champêtre. Il nous interrogea sur nos projets d'avenir. La plupart des élèves avait l'intention de reprendre des affaires de leur famille. Quand ce fut le tour de Vincent, il dit :

« Je veux faire de la philosophie, si vous n'y voyez aucun inconvénient !

– Non, répondit le professeur. L'unique inconvénient est

la philosophie elle-même. Ce n'est pas une discipline sociale. Elle ne prépare qu'à l'enseigner.

– Je sais, dit Vincent. Mais n'est-ce pas déjà une raison sociale ? »

J'étais au fond de la classe, les yeux perdus dans le feuillage d'un arbre.

« Et vous, Baptiste ? »

Je fus incapable d'hésiter et répondis d'instinct, sans réfléchir :

« Je veux faire comme Vincent. »

Le cœur avait parlé, je ne m'en défendais pas. Vincent se retourna vers moi et m'adressa un regard parfaitement inexpressif. Moi-même feignis une complète indifférence et je retournai sur ma branche. À la fin du cours, le professeur nous souhaita à tous bonne chance ! Puis il nous convoqua à son bureau, Vincent et moi. D'abord il nous exprima son bonheur. (En avoir convaincu deux, dans l'année, était pour lui une réussite.) Il nous conseillait de tenter le concours de Normale Sup. Si nous y arrivions, l'agrégation, étant souhaitable, nous serait offerte sur un plateau, à coup sûr !

« Non, monsieur, dit Vincent. Nous ne le tenterons pas. La philosophie est en soi un carcan suffisant. Un système à elle seule, de pensée et de vie. Nous préférons jouer un semblant de liberté. »

Il avait donc parlé pour moi. Je me ralliais aveuglément à son choix. Le prof n'insista pas et nous serra la main, comme à des collègues.

Nous eûmes le bac brillamment. J'en fus presque surpris. Je m'en voulus d'une angoisse inutile. Dès que je connus mes résultats, je fondis en larmes. De fatigue, de joie, de chagrin. Ce jour-là, je ressentis comme jamais l'absence de mon père. Et je me rendis seul à Bagneux, sur sa tombe.

« Papa, je l'ai ! J'ai réussi mon passé, mon enfance avec toi.

– Je le savais. Et je suis fier de toi.

– Je vais pouvoir grandir.

– Tu es grand, Baptiste. Tu n'es plus un enfant. Le chemin qui s'ouvre à toi est, certes, celui de mes espoirs. Mais il doit être aussi le tien !

– J'essaierai...

– Baptiste... Veille sur ta mère. »

J'avais l'impression d'être Don Camillo dialoguant avec le Bon Dieu. Je devais en avoir le cœur net. Alors je suppliai mon père, de toutes mes forces, de se manifester d'une manière ou d'une autre, de me donner une preuve tangible de notre communion. C'est en quittant le cimetière que j'entendis un bruit sourd dans le ciel. Un avion passait, comme sur les plages, tirant une banderole. Il y avait écrit, dans ce beau ciel d'été, juste au-dessus de moi : *Au Lux. Les enfants du paradis. Les visiteurs du soir. Le jour se lève.* Cela me remplit d'extase et me donna envie d'aller au cinéma. Le soir tombait, et je sentais que je laissais derrière moi, dans ce grand jardin tranquille, d'innombrables visiteurs qui traverseraient mes rêves.

Plus tard, Vincent et moi nous allâmes nous inscrire ensemble à la Sorbonne. (Nous abandonnions Saint-Cloud – le parc, les chambres, nos chuchotements – sans aucun regret.) Ensuite, nous nous installâmes à une terrasse de café. Vincent portait des lunettes noires et avait l'air soucieux. Il m'apprit que les choses allaient mal avec son père. Il n'était pas question qu'il entreprenne des études de philo ! Son père, depuis toujours, le destinait à travailler avec lui. Si Vincent persistait dans son choix, il lui couperait les vivres.

« Et ta mère ? demandai-je.

– Ma mère n'est pas femme. Hélas, elle est l'épouse de mon père. »

De toute façon, sa décision était irrévocable. Il travaillerait, dès septembre, pour se loger, se nourrir et payer ses livres. Vincent partait le lendemain pour la Corse. Il me proposa encore une fois d'aller chez les putes! J'éclatai de rire. Bon. J'acceptai. (Au fond, suivre Vincent, même jusque-là, appartenait à mes initiatives.) Mais je le prévins que j'avais besoin d'une sérieuse initiation. Il me dit qu'elles étaient là pour ça! Puis ajouta : « Que risques-tu ? Un couac, une bléno... Peu de choses, en somme. »

Dans sa petite auto décapotable, nous avions l'air de deux bourgeois, fils de famille, en quête d'égarement, de fruits défendus. Place de l'Étoile, il prit la direction du Bois.

« Qu'est-ce que tu veux ? Une pipe ? Un massage complet ? Un peu d'amour ?

– Comme tu veux. Comme pour toi. »

Vincent décida qu'un peu d'amour nous ferait du bien. À l'entrée du Bois, il s'arrêta devant deux filles, plutôt jolies, qui se tassèrent derrière nous, sur la banquette. Pendant que nous roulions, Vincent posa une main sur mon genou, très innocemment, l'air de dire : « Ne t'inquiète pas. Je suis là. » Je regardais le ciel et m'y sentais mieux que partout ailleurs. Si j'avais eu des ailes, j'aurais pris mon envol! Les filles, derrière, se taisaient. L'une d'elles passa ses bras autour de mon cou, ce geste me parut tendre. Elle me souffla à l'oreille qu'elle nous trouvait beaux tous les deux, mais préférait les blonds. (Malgré moi, je crus entendre qu'elle préférait les filles!) Vincent avait précisé qu'on allait chez lui, où il était seul depuis huit jours. Il laissa les filles dans le jardin et je visitai la maison. Nous fîmes rapidement le tour des pièces du bas, puis nous montâmes à l'étage. Sa chambre était vaste, pleine de livres, et je fus ému d'y trouver ma photo, enfin notre photo, où nous avions posé, Vincent et moi, vêtus de l'uniforme de Saint-Cloud, dans un coin du parc. « Ça va ? » s'inquiéta-t-il. Je fis signe que oui. « Si tu veux, je

50

les renvoie avec le fric ? » Je ne voulais pas. Je ne voulais surtout pas le décevoir. Sur le palier, il me montra une porte : c'était la chambre de Thierry. Chacun dans la maison, tour à tour, venait là se recueillir. La nuit, Vincent entendait fréquemment le pas de son père arpenter, des heures, l'espace du mort. « Lui aussi y fait le mort. Mon père s'enterre dans le calme immense de la chambre. » Puis nous redescendîmes, Vincent prit une bouteille de champagne, des cigarettes, et me poussa dehors.

Les filles étaient plutôt gentilles. Nous commençâmes à boire et bientôt nous finîmes la bouteille. Vincent en ouvrit une deuxième, puis une troisième. Les filles s'impatientaient à nous entendre évoquer des souvenirs, alors il passa à l'action. (Suffisait-il de l'imiter ? Je n'en savais rien.) Vincent en prit une sur les genoux, glissa une main sous la jupe. Celle qui préférait les blonds m'embrassa goulûment et, comme je ne bougeais pas, me demanda si j'étais puceau. Il valait mieux ne pas mentir. Ma réponse sembla lui plaire. Elle tâta mon sexe et me proposa d'entrer dans la maison. Je songeai que Vincent m'avait peut-être montré sa chambre, comme pour m'y inviter. En montant l'escalier, je sentis ma tête tourner. (J'avais sans doute trop bu.) Abruti, je m'assis sur le lit, et regardais la fille se déshabiller. Quand elle fut nue, elle s'approcha de moi et me caressa le nez de sa toison. « Tu connais le septième ciel ? » Je dis oui ; mais c'était une autre histoire... Elle dénoua ma ceinture, me renversa sur le lit, et là, il y eut comme un tourbillon d'étoiles et de nuit, une nausée, une forte odeur de tabac, des murs penchés, des murs glissants, le plancher à la place du plafond... Je ne sais plus. Je me souviens uniquement d'avoir pénétré le long tunnel de la nuit.

Une violente migraine me réveilla, au lever du soleil. Quand je me redressai, dans le lit de Vincent, il dormait près de moi, de tout son saoul, torse nu. Que m'était-il arrivé ? J'imaginais : pas grand-chose. Cherchant le lavabo, je fis un peu de bruit et j'entendis la voix de Vincent maugréer : « Recouche-toi. Dors. Je prends l'avion à midi. » Visiblement les filles étaient parties. Il avait donc réglé son plaisir et mon sommeil d'enfant. Dans la matinée, en rigolant, il m'expliqua : « Si tu veux tout savoir, tu n'as pas pris la fille, mais ton pouce. » En définitive, il ne me proposa plus jamais d'aller au Bois.

À l'heure prévue, Vincent s'envola pour la Corse.

Ma mère m'avait trouvé un studio, à Montmartre, et je fus soulagé de ne pas quitter le quartier, de garder un pied-à-terre dans l'enfance. Puis nous partîmes pour la Provence, dans une ville du Var, où elle avait choisi de vivre et de mourir. Me rappelant encore l'instant précis où j'avais mis une dernière fois la clef dans la serrure de notre appartement, me revient la sensation non d'avoir fermé à tout jamais une porte, mais de l'avoir ouverte. Quelles que soient nos douleurs, elles s'endorment tôt ou tard dans l'étreinte de ce qui leur succède.

Me rappelant ma nuit chez Vincent, et cherchant à me donner une bonne excuse, je me dis que coucher avec une femme, c'est aussi dormir avec elle. Et la promesse de liberté est la plus grande tentation du péché ! Cette nuit-là, loin de vouloir être libre, en n'abusant pas de cette fille, j'abusais de mon destin.

7.

C'est la connaissance du destin qui crée le destin. À cette époque, ma vie se déroulait dans une multiplicité de devenirs fragmentés et selon une superposition de sensations, d'histoires, dont je n'entrevoyais pas toujours le lien et l'unité. L'unique chose qui me semblait à peu près constante était mon humeur mélancolique, comme une attitude de contemplation abstraite (ou théorique) de l'univers.

Quand j'y pensais, rencontrer Vincent n'avait rien changé en moi de fondamental (à quelques différences ou nuances près); mais il m'offrait l'expérience de la *conscience de soi*. Par lui, mes intuitions se muaient en représentation nécessaire. Le langage jouait un grand rôle. Comme nous parlions beaucoup, et que Vincent allait droit au but, à l'essentiel, j'apprenais à le connaître et à me découvrir. Je ne l'aimais pas dans un miroir. Le reflet qu'il me donnait de moi-même, car nous nous ressemblions sur bien des points, déformait avec le temps l'image idéalisée qu'à mes yeux il avait longtemps représentée. Peu à peu, je l'aimais pour lui-même et non plus pour moi. Ce principe, dans sa réciprocité, Vincent l'avait admis – je crois – dès le commencement. (Sans doute m'avait-il aimé plus vite que je l'avais aimé!) Je lui avais donné quelque chose du frère perdu, une complaisance éphémère dans le passé. Mais à peine. Vincent avait rapidement sauté le pas qui menait à moi. Et j'entamais à présent l'autre démarche : s'il demeurait mon héros favori, vivant à ma place des situations que je ne vivrais jamais, qu'il me communiquait, je rattrapais tout ce temps, mes années d'infinie solitude. Aujourd'hui, un être comptait dans mon existence, que j'avais choisi, et par lequel se jouait une partie de mon destin. Nous étions l'âme du monde, et l'amitié notre corps.

Que dire de ces trois ou quatre années qui filèrent trop vite en arrière? Que le temps passe et ne repasse pas. Je devais en avoir le pressentiment, car j'appris à cette période une chose importante : vivre l'instant présent dans son regret même prépare, mieux que tout, le moment futur.

Le soir, dans mon studio, à Montmartre, je m'essayais à écrire... Vincent m'avait dit : « Tu n'es pas un philosophe! Mais un bon étudiant. Ta pensée ne révolutionnera pas l'histoire. Si tu dois écrire, travaille tes émotions. Cerne-les méthodiquement. Tu avanceras... » Sa remarque avait un son juste. Je m'étais acheté un cahier d'écolier, où je m'appliquais à consigner, sans déborder, mes principales émotions. Ou bien j'allais au cinéma. Ou bien, comme avant, comme toujours, j'interrogeais le ciel.

Parfois, tard dans la nuit, je rejoignais Vincent. Il travaillait dans un bar du VIII\u1d49, préparant des cocktails audacieux, avec le son d'un piano qui jouait sans relâche du blues ou du Chopin. Je m'asseyais sur un tabouret, près du comptoir, et je buvais ce qu'il me servait; j'écoutais l'aventure de ses clins d'œil aux femmes, de billets échangés, de rendez-vous étranges dans des chambres d'hôtel ou les toilettes de la Sorbonne. « Tu as écrit? » me demandait-il. Quand je disais oui, son visage s'éclairait. « Écrire est sans aucun doute la seule chose que tu feras pour moi. Alors, prends ton temps, mais fais-le bien! » Il m'arrivait de l'attendre jusqu'à trois heures du matin. Puis nous allions chez lui. Vincent louait une chambre minable, derrière la Sorbonne, et n'avait plus de voiture. Il rageait! (Sa mère lui donnait de l'argent en cachette, qu'il claquait aussitôt! Cet argent clandestin ne pouvait être destiné qu'à des dépenses clandestines.) On étudiait ensemble, j'avais du mal – du mal à comprendre Kant ou Hegel (Vincent était un excellent professeur). De mon côté, je l'aidais à pénétrer dans le système géométrique de Spinoza. (Il s'exclamait, tendre et rieur : « L'amour! Toujours l'amour! ») Nous évoquions parfois Saint-Cloud, le collège. Nous parlions de choses et d'autres. L'hiver, sa chambre était une glacière. Il prétendait que l'avenir lui offrirait la revanche. On se gelait les doigts et cessait de travailler. Nous nous donnions l'un à l'autre l'impression de ne pas être de notre siècle, ce qui nous agaçait. Discuter dans le froid et sous les toits finissait par nous ennuyer. Je rentrais chez moi, dans le confort bourgeois que m'avaient permis mes modestes parents. En vérité, nous avions hâte d'achever nos études. Vincent pour acheter une voiture. Moi, pour m'établir ailleurs.

Souvent, lorsque je contemplais le ciel, me venait le brusque désir de voyager. De l'observer d'un autre coin du monde. À part Vincent, rien ni personne ne me retenait à Paris. En outre, j'étais tenté de vivre sous un ciel qui fût bleu toute l'année; et le Sud m'attirait. Ma mère m'écrivait de longues lettres sur le temps qu'il faisait en Provence. Il y avait, entre les lignes, le regret étouffé de notre éloignement. Entre les miennes, le sentiment coupable de l'avoir abandonnée. Je me demandais si une existence pouvait se construire sur l'exclusivité d'une amitié. À coup sûr, non. Il viendrait un jour où Vincent rencontrerait une femme, avec qui il partagerait sa vie. En courant après toutes, ne courait-il pas après cela ? Que deviendrais-je ? Un compagnon de fortune, le simple témoin de son destin. Mois après mois, mon désir de partir se confirmait. Il me semblait que, dans la nostalgie de mon absence, Vincent m'aimerait toujours. Ce pouvait être le meilleur moyen de préserver notre lien. Comme dans la mort, à travers laquelle le manque de l'autre devient un état éternel. Un soir, j'informais Vincent de ce projet (le seul qui relevait de mes propres forces). Nous marchions sur les Champs-Élysées, je nous revois encore. Vincent me saisit le bras, comme pour m'en empêcher. Puis il se ravisa. Je le sentis s'éloigner. « Où veux-tu aller ? » Je lui parlai de ma mère ; il éclata d'un rire bref. Sa moquerie ne me convainquit pas de sa sincérité.

« Je ne veux pas disparaître, lui dis-je. Mais il faut bien que je me décide.

— Tu as raison. Il est temps que tu décides pour toi ! Et puis nous ne sommes pas sérieux, nous ne sommes pas mariés.

— J'étais sûr que tu envisageais sérieusement le mariage.

— Tu te trompes. Je n'envisage qu'une chose : avoir un métier, gagner de l'argent, vivre à Paris ! Je te l'ai déjà dit, souviens-toi, il y a longtemps. Les femmes, pour moi, ne sont pas le salut ! Une femme ne m'apporterait rien de nouveau. Comment réduire en une ce que je cherche tant dans les autres ?

— Que cherches-tu ?

— Un peu d'amour. L'illusion. L'impossible.

— L'illusion de quoi ?

— D'aimer et non de l'être. J'aimerais aimer. Et je n'y arrive pas. Je leur fais croire, et ce n'est qu'un jeu. Je n'aime que toi sur terre. Je ne m'en défends pas, tu vois. Mais tu as raison. Si tu es loin, rendu au rêve, peut-être parviendrai-je à me fixer? Ce sera mieux pour nous. Celui qui veut quitter le lieu de sa vie n'est pas heureux. Et je veux que tu le sois. »

Vincent ne pleurait pas, mais il avait les yeux humides. Tandis que nous marchions, il approcha une main de mon visage et, gentiment, me décoiffa. J'interprétai son geste non comme un désordre, mais cette fois comme un ordre. (« Pars, il le faut! ») Ensuite, l'avenir de notre soirée fut compromis. Nous étions incapables de parler, de poursuivre. Quelque chose nous séparait enfin! Ce n'était pas de la haine, mais ce n'était pas loin. La haine enivre le sentiment d'amour. Sûrement, dans l'instant, nous détestions-nous! D'en venir là, à une rupture absurde et nécessaire, comme de vieux amants ou Dieu sait quoi! Devant cet avenir bouché, Vincent choisit la fugue. Il me dit : « Séparons-nous. On se verra demain. J'ai de la peine et j'ai envie de jouir. » Moi aussi j'avais de la peine et j'aurais adoré ça! Vincent traversa l'avenue sans se retourner. Je le suivis un moment des yeux. Il se perdit dans la foule, ce qui me fit peur. Je redoutais qu'il finisse ainsi. En même temps, étrangement, cette fin de non-retour me procurait un mélancolique enchantement.

On se revit pourtant, comme promis. Le temps passait, invisible. Ensemble, nous réussissions examens et diplômes, dans une sorte d'allégresse qui, nous le savions, précipitait notre perte. L'année de l'agrégation, Vincent, qui en avait assez des petits métiers, trouva un poste dans un collège privé. Je me mis à travailler aussi, à donner chez moi des leçons particulières. Vincent déménagea et se rapprocha de Montmartre. Maintenant, il n'avait plus la même attitude avec les filles. Je lui connus plusieurs maîtresses, dont chacune dura un certain temps. Vincent apprenait à les aimer, à s'attacher. (S'exerçait-il au mariage?) Quand il s'installa dans son appartement, il vécut trois mois avec une. Puis il la mit dehors. Mais il progressait dans une stabilité encore toute provisoire. De mon côté, je ne faisais aucun progrès. Je n'aimais pas les maîtresses de Vincent. J'avais l'impression qu'elles étaient amoureuses pour de mauvaises raisons. Ce qui ne voulait rien dire. (En amour, toutes les raisons sont bonnes!) Je jalousais secrètement l'intimité de son corps. Sans pour autant le désirer. Ce que j'aurais désiré, c'est que Vincent ne soit qu'une âme, sans saveur, sans odeur. Une pure légende. Un dieu de l'Olympe. On ne se refait pas.

Nous nous étions donné deux ans pour avoir l'agrégation. Et nous l'eûmes du premier coup! À la lecture des résultats, Vincent me pinça le bras. Non, nous ne rêvions pas. L'avenir me souriait et je sautai de joie. D'émotion Vincent fondit en larmes. En ce début d'été, je demandai un poste dans le Var, à Draguignan. Ma décision était prise. Ma mère vieillissait et je souhaitais veiller à son chevet. Il y aurait les vacances, j'irais à Paris, Vincent viendrait me voir. Il fut même question de visiter ensemble, dans sa prochaine voiture, le nord de l'Italie et pourquoi pas Venise?

Un samedi, Vincent m'accompagna à la gare. Il faisait une chaleur étouffante, orageuse. Sur le quai, nous n'arrivions pas à nous séparer. Il me fit jurer que je continuerais à écrire! Puis je sortis d'un sac le volume de Verlaine qu'il m'avait offert autrefois. Sous sa dédicace j'avais ajouté : *Et l'on ne doit point écouter ceux qui veulent que la vertu soit dure et semblable au fer: dans l'amitié, comme en bien d'autres cas, elle est tendre et traitable...* Ces mots de Cicéron le firent sourire.

« C'est ce qu'on appelle un renvoi d'ascenseur, me dit-il. Mais ce livre t'appartient.

— Il est à nous! C'est notre lot commun. Comme c'est moi qui m'en vais, tu le garderas. À toi de conserver le sceau de notre pacte.

— Entre nous, je ne vois aucun pacte.

– Il y a l'Italie et d'autres choses encore... »

Vincent mit le livre sur son cœur. Je savais qu'il me décoifferait une dernière fois. Ce qui ne manqua pas.

« J'écrirai et je t'écrirai.

– Je te répondrai. »

Nous entendîmes, dans le haut-parleur, le signal du départ et de ma fuite. Je commençais à regretter de l'avoir décidée. Vincent m'embrassa. Dans mon oreille, il glissa un souvenir. Il chuchota, tout simplement : « Baptiste... » Puis, tandis que je montais dans le train, afin de trouver ma place, je l'imaginais se perdre dans la foule.

Quand le train démarra, je proférai un long soupir vers le ciel. Que voulais-je donc prouver à moi-même ? Que je pouvais me passer de Vincent ? Il n'est jamais tragique de se passer des vivants, puisque la vie sépare. Je me dirais toujours que le ciel nous unit (le ciel vu de la terre). Fermant les yeux, je fis quelques pas, rue Saint-Vincent. J'aperçus une grille couverte de glycine. Derrière, un jardin faisait un long silence. Il n'y avait plus que des ombres, que des esprits. Des esprits frappeurs sur ma mémoire. Les mêmes qui hanteraient à jamais le collège de Saint-Cloud. Je me demandais qui saurait me décoiffer, là-bas, avec tendresse et compassion ? Ne plus jamais revoir Vincent me paraissait une idée insupportable, mais une expérience unique, enviable. Souveraine entre toutes. Je devinais qu'elle ne me serait jamais donnée. Donc, la vie ne nous séparerait pas ! Si la vie était un roman, Vincent resterait mon héros. L'avenir était encore à nous : ainsi s'imposait la décision suprême du destin. (Dans son mouvement rétrograde, il éclairait le présent à la lumière de l'avenir.) Un jour, Vincent me répondrait peut-être que le destin demeurait l'unique vérité qui fût infaillible. Dès lors, je sentis que ce train volait plus bas que terre. Je ne devais pas m'inquiéter. Quoi qu'il arrive, où qu'il m'emmène, je devais croire au retour éternel.

DEUXIÈME PARTIE

L'eau et le feu

8.

Le ciel violet de l'automne est prêt à tomber sur la ville, à se déchirer, à déverser des pluies interminables qui étoufferont tous les parfums de la terre. C'est un ciel humide, chargé de brumes, dont la matière et la couleur ressemblent à la peau d'un fruit trop mûr. Veiné comme un coquillage, il s'enroule autour de nous pour nous faire entendre le soupir du vent ou le bruit des gouttes sur les parois de verre. À Paris, c'est un ciel du nord qui se couche sur notre petit monde, qui donne sommeil aux désirs de l'âme et aux aspirations naturelles de la chair. Je ne vois plus rien briller, pas la moindre étincelle sur le plafond, et mon esprit flotte, détaché, inconscient, semblable aux indifférents qui vont leur chemin. Même l'arbre ne résiste pas à la triste saison! Il perd toutes ses feuilles, mais il garde sa sève. Je lui ressemble : mes joies sont tombées, mais je conserve espoir. De ma fenêtre, j'ai bien du mal à me projeter dans l'infini que la grisaille achève d'emmurer. Pourtant je suis là et j'attends. J'attends d'hériter, de l'été passé, ce qui peut demeurer du bleu intense, du bleu outremer. Parfois, entre deux nuages, quelque chose me fait signe : une lueur. (C'est une fleur que l'on m'envoie.) Hélas, le rideau tombe, toute lumière disparaît. En automne, le ciel se fane et retourne à la terre.

Si je pense à Vincent, je le vois comme une ombre, passer sous la pluie. Il porte un imperméable et marche, le dos légèrement voûté, les mains dans les poches, sur un tapis de feuilles mortes qui ne mène à rien. Il a les cheveux mouillés et l'eau coule dans son cou. Vincent conserve une allure d'éternel étudiant, une silhouette juvénile, mais son visage a changé. Si je pense à lui, je le vois ainsi : les sourcils hérissés, le regard sombre, une petite ride comme une fissure du front, où se creuse peut-être et sournoisement un conflit. Entre l'eau et le feu. Ce qui paraît et ce qui est. Vincent n'est pas une ombre et ne le sera jamais! Ce n'est qu'une illusion, une allusion. En vérité, il brûle la vie et les étapes, comme un torrent. Mais en automne, il fait semblant de suivre la pente d'un ruisseau.

C'est étrange! Au cours de notre séparation, quand il m'arrivait de porter sur Vincent un regard absent, lointain, je le voyais dans la ville et sous un ciel gris. Je ne l'enviais pas – du moins, je n'enviais pas ce qu'il y avait au-dessus de lui. Je cédais sans doute à une confusion. Je confondais le ciel et sa vie. (Fidèle à la formule de Bachelard : « Je suis l'espace où je suis. ») C'était aussi une ombre sur ma propre vie. La peur de l'oublier m'obsédait et qu'il m'oublie! Au début, il vint me voir. Nous passâmes huit jours ensemble. Dans sa voiture, nous fîmes de longues promenades dans la Provence dorée de l'automne. Puis, quand il partit, je me mis à lui écrire, comme si j'écrivais pour moi. Lui racontant mon existence quotidienne, mes impressions, mes sensations innombrables. Vincent me répondait. Ses lettres étaient plus courtes que les miennes, parfois de simples mots, des pensées. Comme nous avions trop de choses à nous dire, écrire devenait difficile. Nos lettres s'espacèrent. Une fois, je lui

téléphonai et je compris que je le dérangeais. Il me précisa :
«Je suis heureux de t'entendre. Mais je ne suis pas seul.
Laisse-moi profiter! Je te rappellerai.» J'attendis en vain un
appel. Dans sa dernière lettre, reçue huit jours plus tard,
Vincent m'expliquait : « Notre amitié survivra-t-elle, malgré
la distance? Tous ces kilomètres entre nous. Je crois que tu
as dépassé les bornes, et parfois je t'en veux. Puis je me
ravise, ce n'est rien... Mais enfin! Il n'y a plus de partage.
Qu'est l'amitié sans partage? Si tu connais la réponse,
donne-la-moi. Sois heureux, Baptiste. En ce moment, je
crois plutôt au hasard. Aux contingences. Je n'éprouve pas
la solidité (la nécessité?) d'un enchaînement entre les causes
et les effets. Comme si mon destin était modifié. On verra...
Et on se reverra quand les brumes seront levées. Au printemps? »

Au printemps, nous ne nous revîmes pas. J'interprétais
notre silence comme un repos, un rideau, un surpassement
du sentiment. Nous n'irions pas en Italie, nous ne visiterions
pas Venise... Il fallait m'y résoudre! Quand l'été arriva, je
montai à Paris. Vincent n'y était plus. Il voyageait. (Sur le
coup, je sentis la trahison : il voyageait sans moi.) Plus tard,
il déménagea et je perdis sa trace. Vincent perdit la mienne,
dans les limbes du temps, de sa mauvaise humeur. Oui,
j'associais à l'humeur ce manque d'effort. De toute évidence, c'était un choix. Vincent préférait feindre de me
perdre que feindre de m'avoir. Pendant quelque temps, je
devins faible, languissant après lui. Le piège du fantasme
demeurait mon pire adversaire, et j'avais peur d'y tomber.
Alors je plongeai dans le travail et le ciel de Provence, non
pour susciter l'oubli, mais empêcher le regret du moindre
souvenir.

Que devenait-il? Cherchant une réponse, j'imaginais toujours le ciel de Paris et, loin en dessous, Vincent qui mar-

chait... N'était-il donc devenu qu'un promeneur parmi les autres, un être fuyant sur le trottoir? (Avait-il des maîtresses? Une femme? Un enfant? Avait-il tant de répugnance à me donner de ses nouvelles?) Un matin, je me réveillai, et, devant l'immense ciel bleu qui s'étalait sous mes yeux, je décidai de ne plus me poser de questions à son sujet, d'en finir avec sa vie et de me consacrer définitivement à la mienne.

Ma mère n'allait pas bien. Elle commençait à perdre la tête. J'allais souvent la voir, dans cette maison de retraite, en plein cœur de la ville. Le soir, je l'invitais dans un petit restaurant où nous avions nos habitudes. C'est là, au beau milieu d'un repas, que je l'entendis me dire : « Baptiste, hier ton père m'a battue... Je ne sais pas pourquoi! Je ne lui avais rien fait. J'étais dans la cuisine, il a brandi le balai, puis il m'a rouée de coups. Je t'en prie, mon fils, il faut me protéger. » Je me mis à pleurer, comme un enfant, incapable de réagir, donc de la défendre.

Au lycée, au fil des mois, je craignais toujours une convocation du proviseur pour m'informer d'une urgence, d'un transfert de ma mère à l'hôpital. (C'était à Saint-Cloud, pendant un cours, qu'on m'avait prévenu de la mort de mon père. Cette image de moi-même m'obsédait.) Sinon j'étais heureux au lycée, les élèves m'aimaient bien; j'adorais leur visage bronzé, leurs manches retroussées, leurs yeux brillants, toute l'année; et leur accent m'enchantait! J'avais réussi, pour me changer de la philosophie, à obtenir en plus une classe de français. (Les dictées de Pagnol fondaient dans ma bouche comme du miel au soleil.) Au départ, je résistais à retrouver mes grands élèves au café; mais, après mes cours, il faisait encore si beau, que les terrasses finirent par m'attirer. Sous les parasols, je bavardais avec quelques-uns, dans une sorte de sympathie qui me reliait au passé, aux études et à Paris. Certaines filles – je le sentais – soupiraient discrètement après moi dans mes classes. Ces adolescentes aux jambes nues, aux gestes souples, me renvoyaient à un rôle romanesque, dont j'assumais l'idée et le bien vague projet. En vérité, je me sentais seul. Ne fréquentant personne, je passais mes dimanches couché dans l'herbe sèche, sous les oliviers, ou, ivre de chaleur, au bord des piscines... Draguignan me plaisait, je louais un appartement dans les vieux quartiers, donnant en bas sur un jardin de curé, étroit et long, avec un potager et un immense figuier, en haut sur la beauté du ciel.

Les mois passèrent, puis ce furent les années. Peu à peu, ce soleil éclatant me lassait; et j'allais de plus en plus souvent me promener à Paris. Évidemment, j'espérais tomber sur Vincent. Je restais des heures à flâner du côté de Saint-Germain-des-Prés, mais aucun passant, aucun inconnu n'avait son visage. (Décidément, quand le destin s'en mêle, il est inutile de se fier au hasard!) Un jour, pourtant, je crus le reconnaître à un coin de rue. Vers les jardins du Luxembourg, j'aperçus un homme, vêtu d'un imperméable, qui lui ressemblait. Je me mis à courir, mais il était trop tard! L'homme pressé avait disparu. Le lendemain, je me rendis à Montmartre, rue Saint-Vincent. La maison était là, entourée de la même grille où s'entrelaçait la même glycine. Mais les volets étaient clos. Je mis un mot dans la boîte (à ce message, jamais on ne répondit).

La solitude de ma vie pesait aussi lourd qu'une valise pleine de livres, de brouillons et de partitions inachevées. Je goûtais peu aux métaphores, mais enfin je n'écrivais plus! Vincent m'avait trahi une fois en voyageant sans moi. J'avais trahi ma promesse en cessant de consigner mes émotions. Si je l'avais voulu, qu'aurais-je donc écrit? Désormais mes émotions étaient toutes théoriques, c'est-à-dire sans aucune vitalité, inavouables.

Un matin, on retrouva ma mère, dans sa chambre, la ceinture de sa robe prise dans une poignée de porte. Elle se tenait debout, l'air hébété. En passant là, près de cette porte, elle avait dû, une seconde, être surprise d'être ainsi, dans le mouvement, arrêtée. Son cœur fragile avait lâché.

Sa mort me fit peur. Qu'une si faible émotion ait pu d'un souffle l'éteindre prouvait mon intérêt à provoquer les miennes! J'enterrai ma mère dans le parfum des mimosas. Déjà, respirer les fleurs était une émotion profonde. Un peu plus tard, peut-être le lendemain, alors que je lisais chez moi, près d'une fenêtre, je sentis la présence de ma mère à mes côtés. Je sentis plus que cela : sa main sur mon épaule. J'entendis sa voix chuchoter : « Mon fils, je suis bien. Ne reste pas ici! Tu ne me sers plus à rien... » Puis la voix s'envola, j'aurais aimé baiser sa main, mais elle s'échappa. Lentement, j'inspectai la pièce autour de moi et sus qu'elle serait bientôt vide, délivrée de mes soupirs, de mes rêves de Vincent.

J'obtins un poste pour la rentrée suivante dans un lycée de banlieue, près de Paris. Ce qui tenait du miracle! Ma mère m'avait aidé à revenir, comme autrefois poussé à fuir.

Une partie de l'été, de train en train, je visitais le nord de l'Italie et découvris Venise. Ce voyage, je ne le fis pas tout à fait seul. Mon invisible compagnon obéissait à mes caprices, à mes lubies. Et je lui en voulais d'être si indifférent à lui-même.

(Aujourd'hui, je contemple le ciel d'automne et je reçois la pluie. Je me dis que le ciel est partout. À Paris, en Italie... L'idée est si simple qu'elle m'attriste. Il y a une unité de la mélancolie, coupée de toute société organique. Une doctrine de la contemplation qui a ses exigences et ses banalités.)

De retour, posant le pied sur le quai, après sept années d'une absence peu substantielle, j'eus l'impression d'accomplir la transfiguration de la nécessité en liberté. Je me sentais libre comme jamais!

Libre de renouer avec mon destin. Déjà je ne me sentais plus aussi isolé. Autour de moi il y avait la foule. Et dans la foule il y avait Vincent.

9.

Je revins aussi à Montmartre, sur la butte. Avec le petit héritage de ma mère, la vente de mon ancien studio, je pus m'acheter un appartement sous les toits, qui dominait la ville. Parfois, en mesurant l'insondable densité de vie qui se pressait à mes pieds, en m'égarant dans le labyrinthe des rues et des ruelles, j'étais pris d'un vertige qui me faisait un instant fermer les yeux. À Paris, il y avait sûrement des hommes et des femmes qui, désespérément, cherchaient quelqu'un (un être perdu dans l'obscurité d'une rancune, d'une infidélité ou d'une rupture). N'était-ce pas l'une des souffrances les plus injustes, que d'aimer un absent que l'on sait bien vivant, qui s'évertue à jouer le mort ? Mon cas n'avait pas la dimension de l'amour, mais d'un amour, un simple accident dont la conséquence ne changeait pas mon rapport intime à l'existence. Sans Vincent j'existais, comme j'aurais existé avec lui. La seule différence est qu'en présence de Vincent je me serais senti plus sûr de moi : son regard m'aurait entièrement dessiné ; il me manquait cet achèvement mystérieusement ambigu que les yeux d'un autre (quel que soit le sentiment) peuvent permettre d'atteindre.

En ce mois de septembre il pleuvait ; et le ciel couvert,

jour après jour, devenait un lourd fardeau. Quand la rentrée des classes arriva, je fus heureux de m'occuper à d'autres choses. Malgré son excellente réputation, le lycée, où j'avais été nommé, était loin de tout. Construit sur une colline, surplombant la vallée de la Seine et des cités H.L.M., c'était un gros bâtiment rectangulaire, traversé de couloirs interminables, qui sentaient fort le linoléum, et entouré d'un vaste espace bétonné, où l'on avait planté quelques arbres, çà et là, au milieu de ridicules carrés de pelouse interdite.

Comme je ne conduisais pas, il me fallait prendre le métro et le R.E.R. pour un long voyage sous terre, qui me menait enfin au dernier étage du lycée (où étaient parquées les terminales), où les classes vitrées me faisaient enfin apercevoir un bout du ciel.

Huit jours environ se succédèrent. Un matin, alors que je m'étais rendu au lycée de bonne heure, marchant dans un couloir, je le reconnus aussitôt! Vincent était seul dans une salle de classe, en train d'observer, à travers les baies, l'espace et les nuages, la lumière grise, métallique. Vincent était de dos, les mains dans les poches, vêtu d'un costume noir, comme s'il posait à jamais pour une photo de ma mémoire.

Doucement je m'approchai de lui et, sentant une présence, il se retourna, me regarda sans surprise et proféra ce mot, le plus tendre qui m'eût été donné d'entendre : « Baptiste... »

Oui, c'était bien moi. Vincent me serra contre lui, passa une main distraite dans mes cheveux. Il répétait d'une voix neutre : « Ça alors! Ça alors! » Puis il s'écarta, reprit sa place, se détourna de moi. Son regard s'échappa de nouveau par la vitre. En vérité, je m'étonnai à moitié de notre rencontre, au sein de cette institution plutôt célèbre, mais je trouvais étrange de ne pas l'avoir vu avant, dans la salle des

72

profs ou lors de notre réunion, la veille de la rentrée.
Vincent m'expliqua :

« Je ne mets jamais les pieds dans l'univers atroce de cette
pièce, où chacun se cache derrière le masque d'une fonc-
tion ! La veille de la rentrée, je ne suis pas venu. J'avais une
bonne excuse : en revenant de Corse, sur l'autoroute, nous
avons eu un accident de voiture.

– Nous ?

– Ma femme et moi. Aucune blessure, mais la voiture est
endommagée.

– Tu es marié ?

– Depuis quatre ans. Et nous avons une petite fille. »

Je fus ému par ces nouvelles. Quelque part, elles justi-
fiaient le silence de Vincent. (La présence d'une femme et
d'un enfant dans sa vie avaient pu l'empêcher de penser à
moi. Je le comprenais.) Mais il m'avait parlé sur un ton si
neutre qu'il me donnait l'impression de m'avoir raconté une
histoire qui n'était pas la sienne.

Nous échangeâmes quelques banalités sur le lycée.
Vincent enseignait là depuis longtemps. Il aimait bien travailler loin de chez lui, devoir se transporter pour changer
de peau et d'énergie.

« Et toi, que deviens-tu ?

– Maman est morte.

– Tu es bien le même ! » dit-il dans un sourire.

Vincent, lui, avait un peu vieilli. (Les autres vous font
continuellement vieillir...) Mon égoïsme me figeait dans une
image que je devinais immuablement fidèle à ce que j'avais
toujours été.

« Tu es toujours aussi blond. Aussi pâle. Aussi beau. »

Je me sentis rougir. Puis Vincent m'apprit la mort de son
père ; un héritage qui le rendait riche. Sa mère vivait en
Corse. Et la maison de Montmartre allait être vendue. À ce

moment, la sonnerie, dans les couloirs, retentit. La foule des élèves provoqua une rumeur grandissante, comme si nous étions soudain cernés par le monde. Vincent m'assura qu'il était heureux de me revoir, il attendait ce moment-là depuis des années et des années. Il n'avait jamais douté ni de moi ni de lui! Et avait préféré attendre que le hasard nous réunisse, plutôt que de le susciter. (« Tu ne peux pas savoir, ajouta-t-il, tu ne peux pas savoir... ») Je lui donnai mon numéro de téléphone. De toute façon, le lycée devenant un lieu commun, nous avions désormais peu de chance de nous perdre. Sur le tableau vert, Vincent avait écrit la leçon du jour : *Providence et Prédestination*. Comme je souriais, il me dit que notre histoire lui servirait d'exemple. Puis il me demanda :

« Toutes ces années, as-tu écrit?

– Non.

– J'en étais sûr. Le ciel de Provence est bien trop bleu pour donner envie à l'âme de chercher ses mots.

– Crois-tu que du ciel puisse dépendre à ce point toute vocation?

– Tu verras que cette pluie qui tombe pendant des mois sera propice à un repliement méthodique. Tu te mouilleras!

– Décidément, tu joues toujours avec les mots.

– C'est pourquoi je n'écris pas. »

Nous nous séparâmes sur : à bientôt; une passerelle au-dessus du vide. Plus loin, à l'autre bout du couloir, mes élèves m'attendaient. Je fis cours sans détacher mes yeux du ciel, de la pluie et des nuages. J'essayais d'imaginer la femme de Vincent et d'inventer leur enfant. Je ne voyais rien de précis; et je manquais de courage à l'idée qu'il me faudrait recommencer à aimer les femmes, à travers celle de Vincent.

Un soir il m'appela. Il était à Montmartre, seul, dans un café (il avait une dernière fois visité la maison de son enfance, de sa jeunesse, avant de rendre les clefs), il me demandait de le rejoindre. N'ayant pas envie de sortir, je le priai de monter, Vincent accepta. Je le reçus le mieux que je pus, ouvrant du champagne et lui assurant qu'il était chez lui. Vincent s'assit dans un fauteuil, tandis que je mettais à sécher son imperméable trempé. Il semblait triste et pensait à Thierry.

« En fermant cette maison, dit-il, j'ai senti la présence de mon frère. J'ai senti son reproche. Aujourd'hui, je l'oblige à hanter la vie d'une famille étrangère. Alors j'ai pensé à toi, qui ne me hantais plus ! »

Il alluma une cigarette, croisa les jambes et parut fatigué.

« Comment ai-je pu vivre si longtemps sans toi ? »

Cette question à lui-même ne me plaisait pas, je n'aimais pas sa mauvaise foi.

« Tu as très bien vécu sans moi.

– C'est possible. Tu aurais tort de me le reprocher !

– Je ne te reproche rien. Au contraire, j'en suis heureux. Mais avoue-le : tu es seul responsable d'un aussi long silence. »

Vincent but une gorgée d'alcool, décroisa les jambes et soupira.

« Et toi d'une aussi longue absence. Baptiste, mon cher, tu es parti. Quelles qu'en soient les raisons, tu l'as voulu. Je n'avais aucune raison d'aller te rechercher.

– N'aurait-on pas pu s'écrire, se retrouver ?

– Non. Il était impossible de se retrouver dans ces conditions. Ce n'est pas de l'orgueil. Mais de la réflexion. Réflexion faite, j'ai préféré que ton absence se mue en habitude. Et je me suis habitué à penser à toi comme on pense au passé. Mais je le répète : je n'ai jamais douté de te revoir un jour. »

D'un trait, il vida sa coupe et me pria de la remplir encore. Je mourais d'envie qu'il me parle de sa vie, de sa femme. Je n'osais pas l'interroger. Était-ce de la pudeur ? Une pudeur réciproque qui l'empêchait aussi d'aborder le sujet. Vincent m'apprit d'abord qu'il habitait dans un bel appartement du VIᵉ, place Saint-Sulpice. (Puisqu'il m'ouvrait la porte, je m'y engouffrai.)

« Alors tu es marié...

– Je suis marié avec Mathilde. Tu la connaîtras, je lui ai souvent parlé de toi. De nos retrouvailles au lycée, elle a dit : Maintenant nous sommes au complet.

– Comment dois-je le prendre ?

– Ni bien ni mal. Mathilde est ainsi : plutôt lucide et très attachée à moi. Elle s'est doutée que, si je te revoyais, le cercle de notre famille grandirait. Tu ne bois pas ? »

La tête me tournait : l'idée du cercle me donnait-elle mal au cœur ? Je bus quand même. Tout cela me permit une audace et je lui demandai à brûle-pourpoint : « Tu la trompes ? » Aussitôt je m'en voulus, parce que je devinai, dans ma question, un malin plaisir à espérer que Mathilde ne fût pas l'unique femme de sa vie !

« Non. Je ne trompe personne. Je l'ai trop fait avant de la connaître. Je savoure aujourd'hui une sorte de fidélité à moi-même : à mes choix. »

Au fond, je fus soulagé que Vincent n'entre pas dans mon jeu, dans ma perversité.

« Et toi ? Et l'amour ?

– C'est le désert. »

Vincent sourit sans dissimulation. Il alluma une autre cigarette, et se plaignit de trop fumer. Puis il chercha dans son portefeuille une photo de sa femme et de sa fille, mais il n'en avait pas. Quand il partit, ce soir-là, je finis seul la bouteille. Je me sentais voluptueusement ivre. Curieusement, je n'étais plus chez moi, mais dans un cercle dont Vincent était le centre. Il y a, dans la notion de destin, l'idée d'une rotation autour d'un axe. Puisque la Terre tourne sans relâche, l'histoire se répète, et nous n'échappons pas à son mouvement. L'axe est une convention, le seul point qui ne bouge pas. C'est-à-dire, par définition, une ligne idéale et droite qui passe par le centre, dans la plus grande dimension. (Si, dans le cercle où j'étais invité, Vincent était l'axe ou le centre, je demeurerais éternellement à la périphérie. À moins de bouleverser les lois de la nature, ce qui me semblait irréalisable.) Quand il partit, conscient de mon ivresse, je me conseillai une certaine prudence. J'avais retrouvé Vincent, et Mathilde n'avait encore aucun sens!

10.

Vincent avait rencontré Mathilde, en hiver, à Paris, dans une boîte de nuit. S'il fréquentait ce type d'endroit, ce n'était pas dans le but exclusif de trouver des femmes! Il venait là pour être seul, au milieu du monde, écouter une certaine musique et réfléchir. (Vincent aimait aussi observer la jeunesse.) Oui, il pouvait réfléchir dans le bruit, avec un verre d'alcool. Les idées se mettaient en place et son imagination attrapait habilement le rythme de la vie, de la nuit; son esprit s'éveillait en regardant se déployer le corps des autres. («Parfois, dans ces moments-là, je me parlais à moi-même en m'adressant à toi, me confia-t-il. J'aurais aimé que tu sois là! Alors je t'inventais dans un petit coin de ma tête et parvenais très bien à te faire exister. Comme un fantôme.») Cette nuit-là, Vincent s'était installé au bar; il n'y avait pas beaucoup de monde; il buvait et fumait, réfléchissait à Dieu sait quoi... C'est alors qu'il vit Mathilde. Elle était assise à une table, près de la piste, avec un groupe d'amis. Vincent trouva belle cette jeune femme, différente, les cheveux roux et flous, vêtue d'une robe noire, décolletée, dont les fines bretelles cernaient des épaules blanches comme poudrées. Le visage était pur, mais très fardé. («On aurait dit une Italienne : Monica Vitti dans *La Notte*. Tu vois?») Elle ne parlait pas et semblait s'ennuyer. Mathilde regardait désespérément autour d'elle; peut-être cherchait-elle quelqu'un? Vincent comprit qu'il ne se trompait pas : cette jeune femme cherchait un homme, un partenaire avec qui parler ou danser, qui la tirerait de là, de son ennui. Parfois elle soupirait, et tout son buste s'élevait et retombait, exprimant une lassitude exagérée. Plusieurs fois, leurs yeux se rencontrèrent; Mathilde s'engouffrait alors dans le regard sombre de Vincent, puis en sortait brusquement. Lui aurait bien aimé la retenir! Mais elle passait aussitôt à autre chose, à d'autres hommes... À un moment, elle se leva, dansa seule sur la piste déserte, quelques mouvements des bras et des hanches dont Vincent goûta la lenteur et le sensuel décalage. Puis elle se dirigea vers le bar. Comme elle se tenait près de lui, il put respirer son parfum et reconnaître qu'elle était vraiment belle! Elle commandait à boire, il en profita pour l'inviter, pour payer. (Vincent aurait été prêt à payer pour avoir à lui cette femme-là!) Mathilde se laissa inviter; elle devait en avoir l'habitude et, gentiment, resta à ses côtés. Vincent lui offrit aussi une cigarette. Elle fumait à la manière de ceux qui n'aiment pas ça! Quand elle fumait, elle insistait lourdement sur le filtre. Vincent se décida à engager une conversation. Ils échangèrent d'abord, banalement, leur prénom. Puis ils parlèrent de la nuit. Du temps qu'il faisait, la nuit. Ils convinrent ensemble que bien des choses devenaient possibles; les règles n'étaient plus les mêmes. La nuit, certaines contraintes tombaient; le ciel ayant disparu, la terre s'ouvrait, creusant des galeries, des tunnels, des lieux de perdition... Il n'y avait plus de marge, plus de distance. C'est pourquoi, la nuit, on se sentait par exemple libre d'aimer! D'aimer n'importe qui, n'importe quoi, puis de le regretter, de s'en vouloir au matin... Mathilde et Vincent se plurent et, doucement, tombèrent amoureux. («Au commencement,

me dit Vincent, on tombe amoureux d'une idée. De l'idée qu'on se fait de l'autre. Et on attend de savoir si elle sera relayée par des preuves réelles, mettant à nu l'obscur objet de notre intuition... En amour, il arrive que la vie ne dépasse jamais l'idée de départ. C'est le pire danger. Tu imagines... Que l'idée soit si forte qu'elle empêche d'en attendre plus! »)
Vincent tomba amoureux des cheveux de Mathilde, de ses épaules, de ses soupirs, du timbre de sa voix. Il tomba aussi amoureux de la nuit autour d'eux.

Elle lui apprit qu'elle était comédienne. Elle jouait au théâtre. En ce moment, dans une salle de la périphérie, une trilogie d'Eschyle. Vincent lui saisit doucement le bras. Il fouilla dans ses poches et lui montra un billet qu'il avait acheté le jour même pour voir, précisément, cette tragédie. Mathilde se mit à rire.

« Sans l'ombre d'un doute, lui dit-il, je vous aurais vue! Dans un autre décor, vous me seriez apparue...

– Et alors?... Vous m'auriez vue dans un rôle qui n'est pas le mien. Je vous aurais peut-être plu, mais sans être mon personnage.

– Oh! Il y a si peu de différence entre le théâtre et la vie, que je vous aurais abordée dans les coulisses, allez savoir... »

Vincent l'invita à prendre un autre verre, mais il était très tard, Mathilde voulait rentrer : elle avait joué ce soir.

« Je vous dépose? demanda-t-il.

– C'est inutile, j'ai ma voiture.

– Alors je vous y accompagne... »

Ils marchèrent sur le trottoir mouillé. Mathilde portait un manteau noir, cintré, et de hauts talons qui la faisaient glisser. Elle s'accrocha soudain au bras de Vincent. Ils continuèrent à parler.

« Rencontrez-vous souvent des hommes dans les boîtes de nuit?

– Assez souvent, oui. Mais bien peu en ressortent avec moi.

– Vivez-vous seule?

– Oui, c'est ainsi que je vis. Et vous?

– Je vis seul, mais j'aime beaucoup les femmes.

– Tant mieux!»

Puis il évoqua son métier, ses études, des choses de son passé. («Déjà, sur ce trottoir, je lui avais parlé de toi! C'est dire que Mathilde te connaît depuis longtemps», me précisa Vincent, l'air troublé.) Elle s'arrêta devant une voiture toute bleue, couleur du ciel. Vincent lui promit qu'après la représentation, il irait la saluer dans sa loge. «Puis nous irons dîner...» La jeune femme accepta. Il se mit soudain à pleuvoir très fort, elle ne s'attarda pas dehors. Vincent se sentait un peu déçu de ne pas finir la nuit avec elle, mais il avait compris que les bras de Mathilde ne s'achetaient pas! Aussi qu'elle était fatiguée... Elle était comme défaite et ne jouait plus. Quand la voiture démarra, il sortit une cigarette pour se donner à lui-même une contenance. Quand elle disparut, il ne savait plus où il s'était garé. Vincent erra longtemps dans les rues du quartier. Il pleuvait et son imperméable était trempé. La pluie lui donnait un sentiment de fraîcheur incomparable et calmait ses tempes brûlantes.

Nous étions dans un café, près du lycée. Vincent fumait beaucoup en se souvenant et en me récitant son histoire. Il fumait et se consumait pour ces instants perdus... Je ne perdais aucun mot, aucune image. Je les voyais très bien tous les deux. Comme si j'avais été là, dans cette boîte de nuit, avec Vincent. J'avais été le fantôme qui assistait à leur rencontre. (L'esprit vorace qui guettait le moment suprême d'une fusion des corps.) J'étais dans le noir, je n'éprouvais aucun mal à l'entendre et j'attendais la suite.

Agamemnon est-il la victime des dieux ? Si le crime pro-crée le malheur, celui-ci n'est jamais qu'un châtiment. Et la Justice mène tout à son terme. Étrangement, Clytemnestre inspire une terreur qui la grandit : si elle est l'exécutrice d'une volonté qui la dépasse, Agamemnon ne peut lui échapper. C'est inéluctable : Clytemnestre vengera Iphigé-nie.

Vincent ne fut pas surpris que Mathilde interprète Cly-temnestre. Le personnage de la tragédie qui le passionnait. Il adora le passage où elle dit son amour et sa joie ! Elle, qui a tant souffert, n'a-t-elle pas le droit de jouir enfin de son bonheur ? Pour Vincent, quand elle achève sa vengeance, Clytemnestre redevient une femme. Une grande lassitude la prend, elle aspire enfin à la paix...

Après la représentation, qui dura plusieurs heures, il retrouva Mathilde dans sa loge. Elle le reçut dans le costume du rôle, et il en fut intimidé. Elle attendait quelque chose... Vincent ne savait pas trop quoi dire de son interprétation : à ses yeux Clytemnestre avait gouverné Mathilde. Elle prit cela comme un compliment. Puis, d'un geste rapide, Mathilde défit sa coiffure, les mèches rousses tombèrent sur ses épaules. Dans le miroir, son visage semblait d'une pâleur maladive, émouvant et beau. Elle se leva et disparut derrière un rideau, Vincent perçut l'eau de la douche, imagina le corps nu de Mathilde sous la pluie. Pendant ce temps, il s'amusa à observer plusieurs photos qu'elle avait accrochées sous la rampe lumineuse du miroir. Sur l'une d'elles, il crut reconnaître la jeune femme quand elle était enfant, posant dans un costume de pensionnaire, le buste droit et les mains jointes. Derrière le rideau, une voix de théâtre l'invitait à se servir un whisky. Vincent demanda où avait été prise cette image. « Près de Grasse, répondit la voix, j'étais en pension près de Grasse. Quand mes parents ont divorcé, je me suis retrouvée là, dans ce costume, sur cette photo... » Vincent but du whisky et, quand il se retourna, Mathilde portait un peignoir, une peau redevenue rose, et ses longs cheveux humides encadraient un visage parfaitement lisse et rajeuni. Elle souriait, à Vincent, à l'instant. « Où va-t-on dîner ? » Vincent n'y avait pas réfléchi. Il lui servit un verre, puis, après qu'elle eut bu, il l'attira contre lui. Mathilde sourit encore, cette fois dans une sorte d'indifférence. (Comme s'il se passait une chose qu'elle avait prévue, organisée et voulue.) La bouche de Mathilde s'ouvrit comme s'ouvre un piège, et Vincent se sentit un doux gibier. Il entrouvrit le peignoir ; il aimait toucher les seins des femmes sans attendre. Ceux de Mathilde étaient gros et ronds, maternels. Elle s'agenouilla brusquement devant lui et défit sa ceinture. Vincent préférait attendre, il le lui dit, elle n'écouta pas et continua. Il aurait préféré la prendre vraiment, dans la loge. Mais c'était bon. Bon d'être ainsi dans la bouche d'une femme, à l'exclusion de toutes les autres ! Ensuite Vincent se rhabilla et Mathilde passa une robe verte. Elle enfila ses bas, après la robe, puis des chaussures. Ils allèrent dîner à Montparnasse. Vincent lui proposa d'aller dormir chez lui. Pour Mathilde, cela tombait sous le sens... Cette nuit-là, elle s'endormit très vite près de lui. Mathilde avait les pieds gelés ; il les réchauffa contre les siens. Il aurait bien aimé la surprendre, mais il songea qu'il le ferait au matin. Toute la nuit, Vincent respira l'odeur de ses cheveux et écouta son souffle. La présence de Mathilde à ses côtés, dans son lit, lui inspirait un calme du cœur. Il redoutait qu'elle s'en aille. Qu'un instant quelconque vienne rompre le sentiment d'éternité qu'il ressentait près d'elle.

Quand le jour se leva et qu'elle se réveilla, il la prit aussitôt, brutalement, sans chercher à la faire jouir. Mais amoureuse, elle jouit avant lui! Vincent avait encore les tempes brûlantes. Ils restèrent la journée entière dans le lit, dans la chambre. Vers six heures, Mathilde dit qu'elle devait se rendre au théâtre. Vincent n'avait pas envie d'assister au spectacle qu'il avait vu la veille. Aujourd'hui, Mathilde gouvernait Clytemnestre.

Il s'arrêta un moment de parler. Je pouvais deviner la suite... Mathilde s'installa chez Vincent. Huit mois plus tard, elle attendait leur enfant. Vincent n'en fut pas surpris. Elle l'avait préparé à ce projet... Ils se marièrent un samedi, à Paris. Ce jour-là, me dit Vincent, il me remercia d'être parti et ne me regretta plus. Il soupira.

« Mais tu es revenu. Et c'est encore mieux!

– Comment t'avait-elle préparé à cet enfant?

– Quand elle m'offrait ses seins, je désirais les partager. Elle le savait. Les offrir à un garçon. Mathilde voulait une fille. L'avenir l'a comblée.

– Toi? L'avenir t'a-t-il comblé? »

Il me regarda avec un certain reproche. Vincent sortit une cigarette, chercha ses mots et me dit :

« Rien ne nous comble jamais. Il n'y a pas assez d'Être! Tel est mon désespoir. »

11.

Le désespoir de Vincent n'avait pour moi rien d'extra-ordinaire! (Nous manquions tous d'Être et avions toutes les raisons de désespérer...) Ce jour-là, en quittant le café, Vincent me proposa de me laisser près de chez moi. Dans sa voiture, je lui demandai de m'apporter une ou plusieurs précisions. Je vis le ciel se découvrir soudain, un bout de ciel bleu apparut entre les nuages. « Maintenant que je suis engagé dans une certaine vie, mon avenir s'en trouve nécessairement réduit. Il y a l'amour, bien sûr, mais aussi toutes les responsabilités de l'amour. Devenir vraiment adulte, n'est-ce pas consentir, et avec joie, aux réductions de l'Être ?... Savoir une fois pour toutes qu'une part de sa substance est destinée à ne jamais sortir d'un droit chemin. » (Comment pouvait-il être si sûr de ne jamais rompre avec ses choix ?) Vincent me dit enfin qu'en cherchant à assumer ses responsabilités, tout homme sait au fond de lui que le moindre écart le conduira au pire des sentiments : l'ignoble culpabilité! Puis, d'un geste, il parut chasser quelque chose, ou bien tirer un trait, dans l'air, sur le lointain de son avenir... Je regardais son beau profil, ses mèches rebelles, sa bouche d'enfant. Il ne quittait pas des yeux la route et conduisait avec assurance. Vincent m'invita à venir dîner chez lui, samedi. Je connaîtrais enfin Mathilde et leur enfant. J'acceptai l'invitation, mais j'avais peur d'entrer dans le cercle, dans la danse. Paradoxalement, j'avais peur d'aimer Mathilde! Si j'y arrivais, je trahirais peut-être ma fidélité à Vincent. Je ne voulais pas être l'ami d'un couple (et encore moins l'ennemi). Demeurer l'ami de Vincent me suffisait entièrement.

Nous avions traversé de mornes banlieues, et Vincent prit le périphérique. Nous ne parlions plus, mais notre silence avait la légèreté d'une plume. Bientôt Vincent me déposa rue Caulaincourt. Il me serra la main, c'était un geste rare. «Autrefois, me dit-il, je me rendais volontiers seul au théâtre. J'adorais ça! Aujourd'hui je ne peux plus. Et j'accompagne Mathilde. Quand on vit avec une actrice, on partage aussi son théâtre. Et je ne suis plus bon public! Le théâtre, décidément, ce n'est pas la vie. On a beau dire. Il manque toujours l'immensité du ciel.»

Quand je fus seul, je continuai à sourire aux phrases toutes faites de Vincent, mais qui n'étaient pas fausses. Au théâtre on peut tout imiter. Néanmoins aucun décor ne peut donner la dimension du ciel. Pour la première fois, à l'idée de me retrouver seul chez moi, je me demandais si j'aurais un jour une femme et un enfant. Une part de ma substance me semblait désespérément inemployée. Je finis par chasser cette pensée, conscient que cette question était un non-sens. On prépare toujours son devenir dans son passé. Il n'y a pas de miracle! La vie ne surprend jamais. On attribue à la surprise ce qui jaillit soudain des profondeurs, ce que le temps expulse (puisque le temps, au bout du compte, ne fait que cela).

Quand le samedi arriva, je me préparai longtemps, comme si je me rendais à un rendez-vous dont mon bonheur allait dépendre. L'après-midi j'avais fait des courses; je m'étais acheté une paire de chaussures et une cravate blanches. Pour la fille de Vincent, qui avait trois ans, une boîte de crayons de couleurs. Je pris un taxi et, arrivé trop en avance, j'entrai dans un café, place Saint-Sulpice. Vincent m'avait prévenu que Mathilde nous rejoindrait plus tard. Elle jouait, sur les boulevards, dans une pièce à succès qui n'était pas un drame. En buvant une bière, je mesurais combien j'avais le trac : serais-je à la hauteur du passé de Vincent ? Je regardais la fontaine, au milieu de la place, les passants, les voitures et le ciel... Neuf heures sonnèrent à l'église, je me décidai à me rendre chez lui.

Il habitait au deuxième étage d'un bel immeuble, au 74 de la rue Bonaparte. Quand il m'ouvrit la porte, je fus frappé par la perspective d'un très long couloir, aux murs nus. Nous le traversâmes vers la grande pièce du fond, un salon très éclairé, avec une cheminée où un feu de bois diffusait une forte chaleur. (Vincent remarqua aussitôt ma nouvelle cravate et mes chaussures. « Tu ferais un joli marié ! » me dit-il.) Puis il m'emmena dans une chambre, où une petite fille me reçut, qui ressemblait très étrangement à son père. Je m'attendais à être ému, je ne le fus pas. Je lui offris les crayons de couleurs et je reçus un baiser. L'enfant s'apprêtait à se coucher ; mais elle voulait avant colorier mes chaussures. Elle parlait si bien qu'elle ne s'arrêta plus de me donner des images du monde. Elle était moins brune que Vincent, mais elle avait les mêmes yeux sombres et le même large front. Elle acceptait d'aller se coucher à la condition que je lui raconte une histoire. Vincent l'embrassa et nous laissa. J'avais si peu l'habitude de coucher des enfants que je demandai à la petite fille de m'aider à le faire ; alors elle se mit au lit. J'aimais son prénom : Leïla. J'aimais aussi sa peau très pâle et sa chemise de nuit. Je saisis un livre au hasard et commençai à le lire. Vincent revint nous voir. Comme tout se passait bien, il me pria d'éteindre. J'embrassai Leïla et lui dis à bientôt. Dans le salon, Vincent ouvrit une bouteille de champagne et je m'assis tout près du feu.

« C'est fou, comme elle te ressemble!

– Il paraît. Mais à sa mère elle ressemble aussi. Tu verras... »

Je voulais tout voir, tout visiter. Vincent me montra donc les autres pièces, et nous restâmes un moment dans son bureau. Je m'approchai de la fenêtre et reconnus la fontaine. Sur un guéridon, près du téléphone, il y avait une photo de nous, Vincent et moi, prise dans le parc de Saint-Cloud. Je feuilletais machinalement des copies empilées, traitant du même sujet : *Qu'est-ce que choisir?* Nous échangeâmes quelques propos sur nos élèves, nos terminales. (Cette année, Vincent consacrait le premier trimestre au Destin.) Puis nous retournâmes au salon. Son appartement me plaisait. Je me sentais bien dans ce vide raffiné. Nous bûmes rapidement la première bouteille. L'alcool, ce soir-là, remplaçait nos paroles. Vincent parlait peu : il attendait Mathilde. Le feu qui brûlait captivait nos regards. On s'ennuyait un peu, tous les deux. Dix heures sonnèrent, il mit de la musique. Ce qui nous rapprocha; nous manquions d'un climat. Vincent me dit qu'il avait toujours horreur d'attendre Mathilde! Elle rentrait tard; il craignait qu'il se passe quelque chose.

« Quoi?

– Je ne sais pas. Un inconnu dans la salle lui apportant des fleurs, l'invitant à boire un verre, et tout peut basculer.

– Serais-tu jaloux?

– Non pas des hommes qui pourraient avoir envie d'elle! Mathilde est trop belle, je n'en finirais plus. Mais jaloux de cette obscurité en elle et devant elle, ce faux néant, d'où quelqu'un pourrait surgir. Quelqu'un.

90

– Tu lui as connu des amants ?

– Pas encore. Mais je connais certains amants passés. En un sens, grâce à eux, je me suis fait à l'idée de ceux qui viendront. Il y en aura, c'est inévitable.

– Pourquoi ?

– Parce qu'une femme a toujours des comptes à régler avec l'homme de sa vie ! »

Dans un sourire, les yeux perdus dans le feu, il m'assura que Mathilde rentrerait à l'heure prévue : elle désirait trop me connaître ! (J'étais en quelque sorte celui pour qui elle jouait ce soir et qu'elle avait hâte de rejoindre.)

À onze heures, j'entendis une porte se fermer, puis un bruit de talons qui marchaient sur les dalles de l'interminable couloir. Mathilde préparait son entrée. Les pas résonnèrent encore. Elle allait, venait, s'arrêtait, et ses talons s'enfonçaient dans mon trac comme de longues aiguilles. Elle apparut enfin, vêtue d'un tailleur rouge, et me serra la main. Vincent avait raison : elle avait une beauté italienne, éclatante, un sourire ravissant. Une volubilité des gestes et la parole facile. Elle me parla d'abord de la pièce qu'elle jouait. C'était une comédie bourgeoise, drôle et bien écrite. Les temps étaient durs ! Et elle n'avait plus l'âge, hélas, d'interpréter les jeunes premières. (Mathilde regardait mes chaussures blanches d'adolescent.) Puis elle nous proposa de passer à table.

Pendant tout le dîner, Vincent ne parla pas ou si peu. Mathilde m'interrogea longuement sur certains de nos souvenirs, dont elle souhaitait écouter ma version. Mais, curieusement, son intérêt ne se portait pas sur Vincent. Je sentais qu'elle cherchait à en savoir plus sur mon compte. Vincent se levait, disparaissait dans la cuisine, Mathilde en profitait pour me poser des questions sur les raisons, par exemple, qui m'avaient poussé à partir, un jour, vers le Midi. Je répondais d'une manière sincère, sans dissimulation. Je compris que Mathilde avait dû s'étonner de cette amitié, comme si Vincent lui avait caché peut-être quelque chose... Puis elle aborda le sujet de ma solitude et des femmes :

« C'est admirable, dit-elle, de vivre seul. En général, les hommes n'y arrivent pas.

– Mais je n'y arrive pas. C'est plus compliqué. Je préférerais vivre autrement.

– Vous êtes très séduisant, Baptiste. Votre célibat est un mystère.

– Je ne trouve pas. Et ce n'est pas une situation compromettante. Ma solitude est sans défaut. Ceci pour votre enquête.

– Oh, mais je ne mène aucune enquête! Nous faisons simplement connaissance. »

Plusieurs fois Vincent la pria de me laisser tranquille. Mais je défendais Mathilde! J'acceptais volontiers d'être un objet de mystère. Il me sembla qu'elle avait de la sympathie pour moi; et j'étais sous son charme. J'aimais cette agressivité qu'elle retournait habilement dans la farine moelleuse de la sensualité et du compliment. (Plus tard, Vincent m'assura, sans plaisanter, que c'était une réaction d'hystérie. Et je ne compris pas.) Après dîner, nous restâmes encore un moment au salon.

« Il faudra venir me voir jouer. N'est-ce pas?

– Assurément.

– Baptiste est impatient de se retrouver à tes pieds! »

Mathilde voulait dormir et nous laissa tous les deux, au coin du feu. Elle m'avait embrassé et glissé dans l'oreille : « Vous avez de belles chaussures. » J'avais souri, puis elle était partie en nous faisant entendre le bruit de ses talons sur le dallage de l'interminable couloir. Vincent me regarda longuement dans les yeux, sans mot dire, l'air un peu moqueur.

(De quoi se moquait-il? Sans doute de notre gêne à prolonger inutilement la soirée.) Alors il appela un taxi, et nous l'attendîmes ensemble sur le trottoir. Comme je lui disais que cette place, avec l'église et la fontaine, me rappelait l'Italie, lui me rappela que nous avions eu autrefois un projet de voyage... Ce qui toucha inutilement mon amour-propre. Dans le taxi qui me ramenait chez moi, je ne pensais plus à Mathilde et à Vincent. (Au cours de cette soirée, Vincent m'avait paru éteint. Et Mathilde une flamme, sur laquelle j'avais envie à présent de souffler.) Je ne pensais donc à rien. Les rues dans la nuit de Paris glissaient; je me défiais de toute considération hâtive. Ce fut dans mon lit que certains détails me revinrent. Et je m'endormis, avec dans ma tête et sur ma peau le long picotement de talons aiguilles, qui, je l'espérais, me poursuivraient jusque dans le rêve.

12.

Des semaines plus tard, un soir, assise dans un fauteuil de cuir, Mathilde croisait et décroisait les jambes, nerveusement, l'air coupable, avouait une aventure qu'elle avait eue avec un homme, dans un train, entre Nice et Paris. Elle parlait fort et je l'écoutais d'une oreille me raconter cette histoire ; je regardais surtout ses jambes, ses gestes précipités, comme si elle cherchait à se défendre d'une action qui n'avait pas au fond beaucoup d'importance. Elle me prenait à témoin de sa fausse innocence et, me souvenant d'une phrase de Vincent (« Une femme a toujours des comptes à régler avec l'homme de sa vie »), je trouvai que la trahison lui allait bien et la rendait plus belle encore ! Elle portait une robe d'été, toute blanche ; ses longues jambes nues, tendues vers moi, me troublaient et m'invitaient en quelque sorte à voyager, entre Nice et Paris.

Quand le rideau tomba, je soupirai. Mathilde salua, d'abord seule, puis avec son partenaire. Elle paraissait heureuse et disparut enfin derrière un bouillonnement de velours rouge.

Elle me reçut dans sa loge, me remercia aussitôt du bouquet de roses que je lui avais fait porter. Mathilde s'assit devant la coiffeuse et, au lieu de se démaquiller, se farda davantage la bouche et les paupières. Je ne l'avais pas revue depuis notre dîner (près d'un mois s'était écoulé), je me sentais intimidé d'être là, avec elle, sans Vincent.

« J'imagine que vous n'aimez pas cette pièce!

– En effet, mais vous y êtes belle et naturelle.

– Vincent ne l'aime pas non plus! Mais je suis attachée à mon personnage. C'est une femme fragile...

– Vous croyez? »

Devant mon hésitation, Mathilde changea de sujet. Elle ne parla plus de la pièce, mais du public qui venait, nombreux, chaque soir. Puis je l'attendis dans le couloir. Mathilde avait troqué sa robe blanche pour un fourreau noir et me proposa d'aller boire un verre dans un bar près du théâtre.

Quand nous fûmes installés devant nos verres, elle aborda sans tarder le thème qui lui brûlait les lèvres : sa vie avec Vincent. Au fil des années, il avait beaucoup changé, me dit-elle, il n'avait plus d'enthousiasme, elle le sentait comme pris au piège d'une obéissance à des règles qu'il s'était imposées, inutilement, qui devaient malgré lui le faire souffrir.

« Quelles règles?

– Le mariage. La paternité. La fidélité.

– Vincent ne m'a fait aucune confidence particulière. Je sais seulement qu'il vous aime!

– Après toutes ces années, ne l'avez-vous pas trouvé différent? Comme étranger à lui-même?

– Différent, bien sûr. Mais nous en sommes tous là : à changer, à vieillir. »

Mathilde ne parut pas satisfaite de ma réponse. Elle sortit une cigarette d'un étui doré et fuma doucement, les yeux baissés, l'air un peu perdu.

« Autrefois, Vincent espérait mener un jour la vie qu'il partage aujourd'hui avec vous.

– Je ne suis pas sûre qu'il soit fait pour cela. Ce qu'il ne comprend pas, c'est que nous pourrions très bien en mener une autre, tout en restant ensemble.

– C'est-à-dire ?

– La vie commune n'est pas incompatible avec la vie ! Je suis une actrice et j'ai aussi le goût de la liberté. Vincent est si jaloux, si fermé, parfois. J'ai l'impression qu'il me fait payer toutes les débauches de sa jeunesse. Il se méfie des femmes. Et sa méfiance le réduit à un rôle où il doit manquer d'air. Il passe des heures à regarder le ciel... »

Mathilde posa une main sur la mienne et ce fut un moment lourd. J'avais l'impression qu'on nous observait, que nous manquions nous-mêmes de sincérité. À quoi Mathilde voulait-elle en venir ? Je n'avais nulle envie de la plaindre. Et son goût de la liberté me donnait une légère nausée, que je finis par noyer dans l'alcool.

« Baptiste... Il m'est arrivé de penser, avant de vous connaître, que votre amitié à tous les deux était une amitié douteuse... Ce qui, d'ailleurs, ne m'aurait pas choquée !

– Pourquoi douteuse ?

– Parce qu'elle me faisait douter de moi-même. Quand Vincent me parlait de vous, je doutais de mon intelligence. Mon intelligence à comprendre Vincent, à travers ce qu'il me disait de vous.

– En effet, je ne comprends pas !

– Ah, vous voyez. Ce n'est pas si simple. »

Elle parut enfin rassurée, trempa ses lèvres dans l'alcool et fit une légère grimace.

« Je n'ai jamais été jalouse de vous. Ni du passé de Vincent. De toutes ces femmes. Mais je voulais qu'il m'avoue, une fois pour toutes, que votre amitié était une amitié amoureuse.

– Mathilde, il n'y a pas de mystère. L'amitié a aussi ses

sortilèges et sa gloire. Pourquoi l'amour entre deux hommes serait-il, pour une femme, un sentiment douteux?

– L'amitié chez les hommes me fascine. Une amitié virile, entre deux garçons, ne manque pas de séduction. Mais la vôtre... »

Elle me sourit avec confusion et n'acheva pas sa phrase. Dans cette conversation, je n'avais pas à me défendre, mais à défendre Vincent.

« L'amitié virile est un fantasme de femme. Et les hommes qui se prennent à ce jeu jouent celui des femmes. Il est vrai qu'entre Vincent et moi il n'y a jamais eu aucune rivalité, aucune complicité dans l'aventure. J'en suis certainement responsable. Vincent ne vous a pas menti. Je suis un ange. »

Mathilde éclata de rire. Elle renversa la tête en arrière, puis finit d'un trait son verre. Visiblement, elle en avait assez! Comme je l'aidais à enfiler son manteau, j'eus la sensation furtive de la tenir, un instant, dans mes bras. Elle me proposa gentiment de me conduire chez moi. Il pleuvait et j'acceptai. Dans sa voiture bleue, il y eut un silence avant qu'elle ne dise soudain :

« Baptiste, je peux vous confier un secret?

– Confier un secret, c'est confier son âme. Ce qui me semble beaucoup pour une première soirée.

– Vous parlez comme Vincent. Je crois l'entendre... »

La pluie tombait sur le pare-brise et Mathilde cherchait son chemin. Quand elle le trouva, elle continua :

« J'aime Vincent, mais il m'arrive de le tromper. Je le fais d'autant plus volontiers et cruellement qu'il m'en empêche. C'est ma seule souffrance : tromper Vincent.

– Gardez votre secret, Mathilde. Et je vous rends votre âme. En ce qui me concerne, je ne le tromperai jamais. »

Puis nous ne dîmes plus rien. Je voulais oublier le secret

de Mathilde tout en sachant que ce serait impossible. Sur le fond, il ne m'intéressait pas, ne me regardait pas. Sur la forme, il me séparait de Vincent. Pouvais-je être jaloux des amants de Mathilde comme je l'avais été de ses nombreuses maîtresses? C'était sans comparaison et, justement, je retrouvais le même émoi. Le même envoûtement pour ma propre faiblesse. Cette nuit-là, je quittai Mathilde en espérant ne la revoir jamais!

Je me l'étais promis et ne la revis pas avant longtemps. Mathilde partit en tournée et Vincent devait s'occuper de leur enfant. Un dimanche, au début du printemps, nous nous sauvâmes tous les trois au bord de la mer. Le temps était radieux. Nous échouâmes sur une grande plage de sable, au soleil; l'enfant courait devant, et nous marchions, Vincent et moi, en direction de la mer. (Il me semblait fatigué. Était-ce à cause de la route? Du lycée? Il avait le visage crispé et les yeux très cernés.) Il me dit que, depuis le départ de Mathilde, il avait l'esprit embrumé. À la fois elle lui manquait et il respirait. (Les brumes de la contradiction empêchaient toute visibilité. Il en avait marre de ne plus y voir clair, d'être sans cesse ballotté entre l'eau et le feu.) Nous nous allongeâmes sur la grève. Vincent ferma les yeux, je surveillais l'enfant.

« Qu'est-ce que l'eau? Qu'est-ce que le feu? »

Il parut réfléchir. Gardant les yeux fermés, mais le sourire aux lèvres, il répondit :

« Peu importent l'eau et le feu! Ce qui compte, c'est de briser la glace... Quand je me regarde en face, je ne me reconnais plus. Et je me demande si, au-delà du miroir, je ne me sentirais pas mieux.

– Où veux-tu dire?

– Je n'en sais rien. Ce qui m'entoure ne me renvoie à aucune certitude. Je ne suis ni heureux ni malheureux. Ni bien ni mal. Mais je suis amoureux. D'une femme et d'un enfant. C'est un amour sans sujet. Comme si les autres m'empêchaient désormais, non d'exister, mais de m'identifier.

– En as-tu parlé à Mathilde?

– Quand je lui parle de moi, elle croit toujours que je ne l'aime pas. Et ma seule manière de lui prouver le contraire, c'est de lui parler d'elle sans relâche. Ou de Leïla. »

Vincent se redressa et observa tendrement son enfant qui ramassait des galets et des coquillages. Puis son visage revint lentement vers moi.

« Qu'est-ce que tu es blond au soleil ! »

Vincent s'allongea de nouveau et croisa les bras sous sa nuque. Je regardais la mer sombre, orageuse, et tout ce ciel pour nous trois !

« Parfois, murmura-t-il, je m'en veux d'avoir laissé tomber les femmes. Quand je me promène dans les rues, je voudrais qu'elles me reprochent toutes – celles que je croise – mon indifférence ! Autrefois, je croyais que n'aimer qu'une femme était la plus belle manière d'aimer les autres. Aujourd'hui, je dois nuancer cette opinion. Aimer les femmes n'a aucun sens. C'est confondre le besoin et le désir. Je n'en désire qu'une seule, mais j'ai peut-être, désespérément, besoin de toutes les autres. Pour n'en aimer aucune ! »

Vincent se mit à rire et je ris avec lui. La petite fille, les poches remplies de sable, se coucha sur son père. Il lui baisa la bouche, et je l'entendis lui chuchoter : « Tu es mon seul désir ! »

Je fis un tour en longeant la mer. (Ils s'étaient endormis, enlacés, dans le vent et le soleil.) Je me sentais soudain compréhensif et consentant. Proche de Vincent et proche de Mathilde.

N'est-ce pas à ce moment-là, sur cette plage, que je fus convaincu de tourner un jour les pages d'un livre, où il serait question de moi et de Vincent? Du théâtre, du roman. Et où je me réserverais peut-être le destin des personnages...

13.

Une amitié amoureuse est-elle une amitié douteuse ? Et de quoi est-il au juste question ? Dans notre cas, je m'interdisais de douter de l'amitié qui nous reliait à l'amour. Ce qui faisait la différence était une eau claire, si rarement troublée, où nos reflets pouvaient s'allonger librement et sans fin, où le feu de la passion ne pouvait prendre et s'embraser. Il n'y avait aucun risque, aucun danger ! C'était sans doute ce que Mathilde jalousait le plus : notre capacité à nous aimer sans étreinte, dans une transparence qui empêchait nos corps de se toucher, de se nier, de se tromper. (Où néanmoins l'amour était parfaitement sincère.) Mathilde était bouleversée à l'idée que je ne puisse l'envier ! Le plaisir est au fond une chose bien fragile... (Et le plaisir devient souvent un vrai problème : ce que l'on donne à l'un, ce que l'on donne à l'autre...) Je remerciais le Ciel de m'avoir séparé à ce point de toutes les sollicitations du corps, sans m'avoir coupé pour autant de la réalité.

Je reçus une carte postale de Mathilde, qu'elle m'avait écrite d'une ville de province, pendant sa tournée : « Mon cher Baptiste, j'ai eu votre adresse récemment par Vincent. Je pense parfois à notre soirée. En gardez-vous un bon souvenir ? J'en doute... Notre amitié ne sera donc pas

103

amoureuse. Tant pis pour moi! Je vous embrasse.
Mathilde. »

Quand elle revint à Paris, j'attendis un peu, puis j'invitai le
couple à dîner dans un restaurant de mon quartier. Nous
étions au début de l'été, et je réservai une table dehors, sur le
trottoir. Mathilde et Vincent arrivèrent très en retard. Je les
sentais crispés, nerveux. (Il me sembla même que Mathilde
avait pleuré.) Aussitôt je commandai du vin, comme pour
noyer un certain chagrin! Il faisait chaud et lourd, il y avait
de l'orage dans l'air. Mathilde sortit un poudrier, se leva et
disparut quelques minutes. Je restais seul avec Vincent. Il
fumait beaucoup, n'arrivait pas à se détendre. « Que s'est-il
passé? » risquai-je à lui demander enfin. Il ferma les yeux et
proféra un long soupir : « Nous nous sommes violemment
disputés. Je t'expliquerai. » Puis Mathilde revint s'asseoir,
plutôt souriante, et me parla de sa tournée. Elle n'avait
aucun projet jusqu'en septembre et comptait passer tout l'été
en Corse, dans la maison de Vincent, avec l'enfant. Nous
échangeâmes quelques propos mondains sur nos prochaines
vacances. Vincent se plaignit doucement de rester seul à
Paris avant de les rejoindre. Mathilde, sur un ton sec, répliqua : « Mais Baptiste sera là! Vous mènerez une vie de garçons. Il n'y a aucun mal à cela. » Au milieu du repas, il se
passa quelque chose, des paroles entre eux qui, sur le
moment, m'échappèrent. Brusquement Mathilde saisit son
verre de vin et en jeta le contenu au visage de Vincent. Elle
pâlit, me bredouilla quelques paroles d'excuses, rassembla
ses affaires et quitta notre table. Je la vis s'éloigner dans la
rue, dans la nuit; puis le bruit de ses talons sur le trottoir disparut; j'offris ma serviette à Vincent, apparemment plus
gêné que lui par ce coup de théâtre. « Que s'est-il passé? »
demandai-je encore. Il haussa les épaules et là, devant moi,
s'effondra. Il pleura et se fit à lui-même du bien. Les larmes

de Vincent lavèrent le ciel de plomb qui pesait lourd au-dessus de nous. « Va la rejoindre, si tu veux! » Il fit non de la tête, essuya ses larmes et le vin. « Mathilde est tellement excessive! dit-il. Nous nous sommes disputés. Elle ne souhaitait plus venir, mais j'ai insisté. Tu n'y étais pour rien... » Nous continuâmes de dîner et, lentement, le sourire revint à ses lèvres et dans ses yeux. J'avais espéré que Mathilde n'était pas allée loin, qu'elle regagnerait sa place parmi nous, pour finir agréablement la soirée. Mais sa chaise et son assiette demeurèrent vides, et nous mangeâmes pour trois! À la fin du repas, nous reprîmes du vin et l'orage éclata. Le tonnerre gronda plusieurs fois, des éclairs illuminèrent la rue, on baissa le store sur la terrasse, chacun attendait la pluie dans une impatience d'enfant.

« Le ciel se fâche! » dit Vincent, l'air joyeux.

Dans un crépitement sourd, la pluie finit par tomber. De grosses gouttes blanches s'écrasaient sur les pavés, d'autres s'écoulaient des franges du store jusqu'au bord des tables. Vincent regardait la pluie dans une torpeur qui paralysait tous ses membres. Il garda longtemps les yeux agrandis sur le vide, puis enfin il me dit :

« Je suis désolé de cette soirée gâchée. Mathilde a voulu te prouver de quoi elle était capable! C'est son art de séduire.

– Mais que s'est-il passé, tout à l'heure, à table ?

– Rien, rien, rien. Trois fois rien! Elle a voulu te prendre à témoin, simplement, de cette violence éclatante qu'elle savait interpréter. Le malheur et la haine. L'orage sur Paris. Avec Mathilde, tout est possible... »

Je n'insistai pas. Quand la pluie cessa, les tables autour de nous furent peu à peu désertées (les clients partaient par petits groupes); bientôt il ne resta plus que nous dans la nuit, la rue et l'humidité vivifiante qui s'enroulait autour de nos épaules.

« Tu sais, dit Vincent, il ne faudrait jamais épouser les femmes qui sont trop faciles!

– Trop faciles?

– Quand Mathilde m'a reçu dans sa loge, la première fois, j'aurais dû me méfier... (Ne continuait-elle pas à jouer Clytemnestre?...) Si le sexe ne gouvernait pas à ce point l'amour, l'amour ne serait pas un perpétuel combat. Parfois j'ai envie de me battre pour cela. Et parfois je ne m'en sens plus la force. Mathilde est une femme facile, dans la mesure où elle peut être facilement altérée par un besoin éperdu d'être prise. Prise en charge, en considération et même en pitié! Au fond, son goût de la liberté est l'expression suprême d'un manque d'indépendance.

– N'est-ce pas une vérité commune à chacun?

– Évidemment. Pauvres chrétiens que nous sommes... à mettre tant de distance entre le Ciel et la Terre! »

Plus tard, tandis que nous marchions côte à côte, je songeais très fort à Mathilde. Je songeais qu'étant actrice, elle prolongeait et projetait, dans sa manière de vivre et d'aimer, jusqu'au paroxysme, ce qu'elle avait sur le cœur. C'était enviable! Toute excitation était d'autant plus grande qu'elle savait en jouer. Je dus avouer à Vincent que ma soirée avec elle m'avait un peu dérouté. J'avais senti qu'elle se méfiait de moi. C'était une méfiance d'amoureuse. À la fois légitime et inutile.

« Mathilde ne pense qu'à ça! Elle n'imagine le sentiment possible que dans le corps. Elle n'a pas tout à fait tort. Le sentiment n'emporte pas que l'âme. Mais enfin... On peut aimer dans un complet retrait du corps. Sans plaisir. Et même contre son gré. »

Il voulut retourner avec moi tout en haut, près du Sacré-Cœur, afin de contempler la ville et les étoiles. (Après l'orage, le beau temps reviendrait, demain serait comme

106

hier, la chaleur déjà recommençait à monter, à construire de nouveau l'été.) Nous nous retrouvâmes exactement là où nous avions parlé, une autre nuit, après l'enterrement de mon père. Vincent m'offrit une cigarette.

« C'est la pleine lune, dis-je.

– Oui. Elle est belle, cette lune vue du ciel.

– Elle est aussi blanche qu'une voile sur la mer.

– Parfois, murmura Vincent, le ciel me donne envie de mourir. »

Je comprenais bien cette envie, ce vertige. Mais, dans l'instant, la carte du ciel me donnait plutôt envie de vivre et de poursuivre.

« Tu te souviens de ma question à propos du destin ?

– Justement j'y pensais. Je désirais te répondre. Ce n'était pas à propos du destin. Tu m'avais demandé si je croyais au hasard.

– C'est bien possible, en effet.

– Le hasard et le destin sont pour moi des notions rattachées bien plus à l'imaginaire qu'à la réflexion. En vérité, je crois aux hasards du monde et au destin de l'homme. »

Vincent se rapprocha de moi et, luttant contre tout ce temps passé, d'un geste il me décoiffa pour me donner peut-être la preuve ou l'illusion d'un certain mécanisme de la répétition.

« Si je considère mon propre destin, j'en comprends parfaitement le sens, dit Vincent. En revanche, je comprends mal sa liaison étroite avec l'avenir. Tu sais, j'ai souvent l'impression que mon destin est déjà derrière moi.

– Le propre du destin n'est-il pas d'affirmer que tout est déjà joué ?

– Justement. Si on admet ce principe, le salut n'est donc plus sur terre. »

Il regarda vaguement la lune, puis nous continuâmes

notre chemin. Nous étions arrivés en bas de mon immeuble. Vincent avait peur de rentrer chez lui, de prolonger une scène avec Mathilde. Mais il n'avait pas le choix! Il me précisa qu'il soupçonnait Mathilde de le tromper parfois, comme on trompe sa vie. Comme on trompe l'ennui. S'il souffrait, c'était surtout de ne pas être à la hauteur d'une femme! Visiblement, il n'était pas capable d'occuper tous les terrains, d'être sur tous les fronts. Vincent s'en voulait. Il aurait aimé remplir Mathilde, l'occuper entièrement.

« Elle, te remplit-elle à ce point?

– Ce n'est pas le rôle d'une femme.

– Quel est son rôle?

– Donner à l'homme l'illusion qu'il peut se répandre dans l'infini de son obscurité. »

Il fit une moue dubitative, haussa les épaules. Et nous nous séparâmes dans l'obscurité infinie de Mathilde.

14.

Croire aux hasards du monde et au destin de l'homme, c'est opposer la nature des choses à la nature humaine. C'est aussi faire du destin une pure vérité de la conscience, sans laquelle l'homme ne la subirait pas. En ce sens, le destin est une certitude absolument obscure; il peut donc être une *terreur*, une jungle noire où l'on s'enfonce, qui nous fait pénétrer dans l'ordre de l'action et de la tragédie.

Mais il est toujours possible d'avoir une attitude différente, de choisir un autre éclairage. Je considère que le destin n'est pas une chaîne qui nous lie à la vie; au contraire, c'est ce qui permet à la vie de s'attacher à nous. Dans le cas de Vincent, l'existence demeurait une aventure, certes perdue d'avance, mais qui méritait une attention constante, afin d'en saisir les extraordinaires jeux et enjeux, et de tourner chaque épreuve en histoire personnelle.

Aujourd'hui, je me dis que les compromis sauvent parfois du pire. (Mais il faut s'en méfier aussi : certains compromis engendrent le pire.) Sous l'Occupation, Vincent aurait été un résistant des villes, connu et recherché. J'aurais été un résistant du maquis, totalement clandestin. Unis dans le même combat, il aurait lutté dans l'audace et la peur, tandis que j'aurais agi dans la crainte et le tremblement. Vincent serait devenu un héros glorifié (fusillé peut-être contre un mur), moi un héros parfaitement ignoré (survivant mais en vie, à l'ombre des murs).

À chacun revient ce qu'il est : il y a une nature objective de l'individu. Quand je pense à Vincent, je pense aussi à Mathilde, la seule femme qu'il ait sans doute aimée! Mathilde n'était pas un hasard dans la vie de Vincent. Malgré leurs différences (leurs différends), elle lui revenait toujours. Mathilde lui offrait l'expérience unique de pouvoir résister – à lui-même et à ses penchants. Elle le maintenait en surface. C'est pourquoi il en était amoureux, même s'il s'en défendait. Au fond, Vincent n'aimait pas être en paix (ni avec lui ni avec elle). Cela lui plaisait qu'elle déploie, sincèrement ou avec ruse, tant de résistances!

Un jour il me fit cette confidence : « Mathilde c'est de l'eau et du feu. Quand elle vous regarde, elle vous invite à se laisser brûler dans ses flammes. Mais au lit, elle est un lac, immobile et lisse. On entre en elle comme un plongeur. Il faut pouvoir savourer l'eau douce. C'est un goût étrange, mélancolique. Un calme qu'on peut toujours détruire par l'imagination, si on préfère le tumulte des flots. Mais l'imagination, tu sais, à la longue s'éteint au contact d'une trop grande douceur... »

Je voulais bien le croire. Et je devinais que l'eau endort souvent non pas le désir mais le plaisir. Je soupçonnais aussi Mathilde de pouvoir jouer un double jeu (et même davantage). J'en eus la confirmation quand elle m'appela chez moi. Elle m'invitait à prendre le thé. J'acceptai dans la mesure où ce moment de l'après-midi n'engageait aucun autre. Mathilde me pria de ne rien dire à Vincent. Pourquoi?... « Nous parlerons de tout ça », dit-elle, puis elle raccrocha.

Nous nous étions donné rendez-vous dans un café du boulevard Saint-Germain. Comme je devais traverser la moitié de Paris, j'arrivai en retard. Mathilde était déjà là à m'attendre, en train de lire *Hedda Gabler*. De larges lunettes noires masquaient son visage. Quand elle leva les yeux vers moi, elle me sourit à peine et ferma le livre qu'elle rangea sous son coude. Elle feignit de s'intéresser à moi, à mon travail, à mes élèves, à la vie courante. (Nous ne nous étions pas revus depuis notre dîner sous l'orage. Visiblement, elle ne souhaitait pas s'expliquer.) Je répondais à ses questions sur un ton neutre, je me sentais de glace, au bord de l'exaspération. Ses vitres noires, ses lèvres rouges, sa peau trop pâle manquaient de naturel. Soudain elle fit une remarque à propos de ma cravate qu'elle trouvait voyante, presque inélégante... Puis elle commanda du thé, avant de me dire quelques mots sur la pièce d'Ibsen. On lui proposait le rôle d'Hedda pour une création en province. Elle adorait le rôle mais hésitait encore. « Que va penser Vincent ? Il se plaint si souvent de mes absences. Je devrais partir plusieurs mois. Si Vincent y consent, je prendrai avec moi Leïla... » Je la laissai régler seule ce projet, dont je n'avais rien à attendre, pas même qu'elle me demande un conseil ! Et je m'impatientais : Mathilde ne m'avait pas convoqué pour rien.

« J'ai besoin de votre amitié, Baptiste.

– Pourquoi ?

– Parce que vous êtes l'ami de Vincent. J'ai besoin de savoir que je peux compter sur vous.

– Vous préparez un mauvais coup ?

– Vous êtes fou. Pas du tout... »

Je la sentis sincère. Elle tendit la bouche vers moi et retira enfin ses lunettes.

« Je voudrais vous parler sans gêne. Il y a tant de choses

111

qui m'échappent chez Vincent. Vous le connaissez tellement mieux que moi!

– Je n'en suis pas sûr. Vincent, pour l'instant, ne me met dans aucun secret. »

Mathilde se mit à rougir. Elle baissa tristement les yeux vers la table.

« J'aurais aimé rencontrer son frère, dit-elle. Et j'ai très peu vu son père. Entre la mort de l'un et la haine de l'autre, le mystère de Vincent est là.

– Quel mystère? »

Elle soupira comme si je faisais l'imbécile. Mais vraiment ses propos ne me semblaient pas clairs.

« Sans doute le mystère d'un homme, dis-je, est dans le rapport qu'il entretient avec *ses* morts! Que lui reprochez-vous au juste?

– À Vincent... de ne pas m'aimer pour ce que je suis! Il me voudrait différente, docile, enfantine. À sa merci.

– N'est-ce pas le propre de l'homme de rêver aussi les femmes?

– Ce n'est pas une raison. Mais une manière de contourner la réalité.

– Je ne peux rien faire pour vous, Mathilde. Je n'ai pas le pouvoir de changer les rêves de Vincent. »

Elle commença à boire le thé comme pour se réchauffer. Je voulais en rester là, finir ma tasse et partir. Elle murmura :

« Un homme a toujours des comptes à régler avec les femmes! Nous n'en sortirons pas. »

Je pris enfin la main de Mathilde, non pour lui montrer que j'étais son ami, mais tout simplement attentif et présent. Elle m'adressa un vague sourire et retira sa main.

« Ce que j'attends de vous, Baptiste, est que vous m'aidiez à réussir notre couple. Il y a des fois où j'ai l'impression qu'il ne tient à rien, qu'à un fil! Le temps a tissé, certes, un lien solide, mais l'amour l'est-il assez pour, quel que soit le lien, nous retenir et nous garder?

– Je n'aime pas l'amour. J'ai donc choisi de vivre sans! J'écoute Vincent, je vous écoute, je vous comprends mais n'y peux rien. Laissez-moi... »

Elle dut avoir peur que je me lève et me saisit la main. Elle dit en conclusion :

« Promettez-moi que vous ne me jugez pas mal! Si je ne rends pas Vincent parfaitement heureux, lui ne me rend pas heureuse non plus...

– Je ne juge personne. Et je regrette que vous ne soyez pas heureux tous les deux. Mais la vie n'est pas forcément le bonheur... Il ne faut pas la prendre ainsi! Vous verrez bien... »

Après qu'elle eut payé, nous sortîmes dans la rue. Nous restâmes un instant sans bouger, au milieu du trottoir, avant de nous séparer. Mathilde traversa le boulevard pour se noyer dans la foule. (Je revis en un éclair Vincent disparaître ainsi, parmi les passants.) Qu'est-ce qui m'incita à la suivre? Je n'en sais rien. Était-ce la peur de la perdre de vue? Ou bien l'ivresse de suivre une femme?... En la voyant marcher devant moi, en observant le mouvement rapide de ses jambes, le doux balancement des épaules, je me confondais en sympathie, en amitié. Je commençais à aimer Mathilde dans une sorte de méfiance qui exaltait mon sentiment. Mon amitié ne serait certainement pas amoureuse. En revanche, comme il me plaisait de la regarder, de m'habituer à tous ses artifices, je me sentais être, pour la première fois, un homme marchant sans but derrière une femme, avec le seul projet de l'admirer, de l'observer, d'imaginer. (Une amitié qui n'est pas amoureuse peut être érotique, quand le regard devient plus pesant que le sentiment.) Mathilde déambulait les mains dans les poches, son sac en bandoulière, et j'éprouvais une étrange satisfaction dès qu'un homme se retournait sur elle. Je n'avais pas l'intention de la suivre longtemps. Bientôt je dus admettre qu'elle ne rentrait pas chez elle. En effet, elle tourna au coin d'une rue et, quelques mètres plus loin, pénétra dans un hôtel.

Mon cœur se mit à battre. Qui rejoignait-elle ? Mathilde m'avait demandé de ne pas la juger mal. Et pourtant j'avais dans l'idée qu'elle m'avait trompé ! J'en eus la certitude quand, le lendemain, Vincent me parla de notre rendez-vous, duquel Mathilde était rentrée fort tard. (Donc elle l'avait mis au courant ; elle avait doublement triché.) Si je lui avais offert un alibi, je pouvais aussi le détruire en deux, trois mots. « De quoi avez-vous tant parlé ? » me demanda Vincent. J'étais en colère mais ne le montrai pas. « Les femmes ont l'art de nous faire parler pour accumuler des preuves, dit-il. Des preuves de quoi ? En général, quand on le comprend, il est trop tard. » Je ne cassai pas, ce jour-là, l'alibi de Mathilde, persuadé que Vincent m'offrirait une revanche ; et je décidai qu'il resterait à jamais, dans mon histoire, au premier plan.

15.

Nous étions en juin et le ciel nous ramenait en automne. Jour après jour, les nuages se faisaient de plus en plus denses; il pleuvait sur le nord, sur la ville, des semaines entières; le froid jetait des voiles de brume qui, le matin, nous écrasaient sous d'informes ténèbres. Sans soleil, sans lumière, nos humeurs sombres creusaient d'interminables galeries sous terre, et nous ne sortions plus de nos nuits blanches. Il y a, à Paris, des étés qui ne ressemblent à rien, pas même à l'hiver, à peine à l'automne. Le ciel nous prend en haine; le ciel n'est plus vivable.

Mathilde, n'en pouvant plus, partit pour la Corse plus tôt que prévu avec son enfant. Un samedi, Vincent les accompagna à l'aéroport et les regarda s'envoler, s'enfoncer dans les nuages, puis disparaître. Demeuré seul, il se mit au volant et roula longtemps, au hasard, à grande vitesse. Sur la route mouillée, à travers la bruine, il avait envie de jouer avec la vie. (De rentrer dans le décor, de traverser les mornes apparences.) Il se retrouva dans un village, se gara sur une place et marcha dans les ruelles qui montaient vers l'église. Vincent entendit des chants, de l'orgue; il entra. On célébrait un mariage. Il prit place parmi les invités, ferma les yeux et attendit. (La cérémonie touchait à sa fin.) Il se sentit peu à peu gagné par une sorte d'extase paisible, un calme délicieux, en lequel il désirait se blottir, se protéger et prier. Vincent se mit à prier librement, sans obéir à aucune règle, à s'adresser au Ciel d'une manière si intime qu'il se parlait à lui-même, supprimant toute distance, dans un mouvement spontané qui, soudain, le rattacha à l'univers. Quand il ouvrit les yeux, le couple s'avançait au milieu de l'allée. La mariée n'était pas belle et, passant tout près de lui, elle se perdit un instant dans le regard noir de Vincent. Il ne put s'empêcher de lui sourire, puis il se retourna; un petit cortège se formait; il demeura un moment dans l'église, les mains jointes et, dans l'instant, désira cette femme plus que toute autre femme au monde! (Ce qu'il désirait, c'était son bonheur, sa joie.) Vincent songea à son propre mariage, à Mathilde qui, ce jour-là, avait noyé de blanc son corps de fausse vestale. Ce souvenir le plongea dans une étrange torpeur, comme s'il avait vaguement conscience qu'il s'était créé des racines qui ne s'enfonçaient nulle part, ne le reliaient au fond à rien de concret. Ses choix n'avaient-ils pas pour but de lui inventer à tout prix une réserve de passé qui lui servirait un jour, au moment de mourir, à croire qu'une existence remplie peut se quitter sans l'ombre d'un regret? Si tout n'est qu'illusion, pensa Vincent, à quoi bon forcer le destin? Et pourquoi nourrir une trame dont au bout du compte il ne restera, justement, que des regrets? Il sortit de l'église, respira l'air humide et froid de l'été, puis, regagnant sa voiture, il se sentit déjà mort, un simple fantôme errant dans ce village désert. Ailleurs, personne ne l'attendait, aujourd'hui comme demain personne ne s'inquiéterait de son absence... C'est alors qu'il se souvint de moi! Vincent se dit que j'étais sans doute l'unique ami de sa vie. Car moi seul pouvais me soucier de ses silences. Il y avait là, sur place, une cabine téléphonique d'où Vincent m'appela.

Il m'expliqua qu'il se trouvait dans un village inconnu, assez loin de Paris, et qu'il avait peur. Peur de ne pas retrouver son chemin. Peur du ciel et peur du vide. Il pleuvait encore. Même la pluie lui faisait peur. Un accident, un dérapage... Tout était possible... J'essayai de le raisonner, de le rassurer. (Je le sentais surtout en danger de lui-même.) Je finis par lui conseiller de rentrer doucement et lui proposai de l'attendre à une porte de Paris. Il ne voulait pas, préférait me rejoindre chez moi. Vincent m'embrassa et raccrocha.

Pendant une heure je le guettais de ma fenêtre. L'horizon m'inquiétait. Et je ne comprenais pas où Vincent voulait en venir. Lorsque je reconnus sa voiture, je fus soulagé. Je le vis sortir, sa minuscule silhouette, tout en bas, me donna le vertige. Quelques instants plus tard, il sonnait à ma porte. Vincent était blême et voulait dormir. Il se coucha dans ma chambre, sans m'avoir dit un mot. Pendant qu'il se reposait, dans la pièce voisine, je me mis à écrire.

Le soir commençait à tomber, quand il apparut, les cheveux en bataille, l'air ahuri, comme s'il sortait d'un autre monde. Il alluma une cigarette avant de s'asseoir près de moi, à mon bureau, quittant peu à peu sa somnolence.

« Tu as écrit... C'est bien... Qu'est-ce que c'est ? »

Je ne pus m'empêcher de ranger mes feuilles dans un tiroir. (Je ne souhaitais pas en parler ni les lui montrer.) Vincent n'insista pas et me raconta sa promenade en voiture ; il me décrivit ce village, ce mariage. Il fumait dans une ivresse anxieuse qui – je le savais – le jetait à la poursuite de Mathilde.

« Je n'en peux plus d'être seul ! s'exclama-t-il soudain. Je le suis encore plus que toi, puisque je me suis donné tous les moyens de ne pas l'être. Tous ces moyens en vain.

– Tu exagères.

– Sûrement. Qu'est-ce que ça change ? »

Il se leva, arpenta la pièce, alluma une autre cigarette et s'installa plus loin, dans un fauteuil, où il parut s'assoupir encore.

« Tu dors ? Il n'est plus temps. Réveille-toi.

— Je dors debout mais ça va changer.

— Qu'est-ce qui va changer ?

— Mon histoire. Il faut avoir la force parfois de tourner la page. J'ai pris conscience aujourd'hui que j'aimais trop la vie pour avoir à ce point peur de la perdre. Tu comprends ? »

Vincent choisit un disque et me fit entendre *L'Art de la fugue*. Nous l'écoutâmes jusqu'au bout, religieusement, avec la pluie qui frappait sur les vitres.

Pendant toute la durée de la musique, Vincent était retourné dans ce village, dans cette église. (Peut-être même avait-il fait l'amour à la jeune mariée ? Il avait défloré son secret, remonté à sa source. Il y avait puisé quelque chose de tendre, de pur et de solennel. Une force nouvelle.) Je reconnus enfin sur son visage toute l'insolence qui l'éclairait autrefois. Ensuite Vincent se leva : il voulait partir, c'est-à-dire rentrer chez lui. Il me remercia, je crus qu'il allait me décoiffer, mais non, il se recoiffa, arrangea ses mèches comme s'il mettait un peu d'ordre après un long sommeil.

Quand ce fut mon tour, cette nuit-là, de me coucher, je fus surpris de retrouver, dans mes draps, l'odeur de Vincent. C'était une odeur de marronnier, d'enfance. Un parfum d'automne et de feuilles mortes.

TROISIÈME PARTIE

La chambre de Constance

16.

Au début de l'hiver, tard dans la nuit, Mathilde rentra chez elle, après une soirée passée avec des amis. Vincent, ayant prétexté du travail (des copies à corriger ou des cours à préparer), avait gentiment exprimé son désir de ne pas sortir ; et puis, à son avis, il faisait trop froid !... Mathilde n'avait pas insisté. Elle l'avait laissé sur cette image de lui-même qui l'avait hantée toute la soirée : Vincent, assis à son bureau, fumant une cigarette, entouré d'une montagne de livres, de papiers, écrivait, notait, l'air concentré mais avec, sur le visage, une expression d'une grande douceur, lumineuse et presque glorieuse. Quand elle ouvrit la porte, elle espéra un instant retrouver Vincent tel qu'elle l'avait quitté. Le couloir était plongé dans l'obscurité ; elle retira ses chaussures, son manteau, et se dirigea vers le salon, au fond, dont elle alluma toutes les lampes. Ensuite, elle alla voir son enfant : la petite fille dormait en ronflant, la bouche ouverte. À côté, il y avait une chambre, où était installée une jeune gouvernante que Mathilde engageait depuis le dernier été. Le silence et le calme de l'appartement la réchauffèrent ; Mathilde soupira d'aise et, lentement, marcha vers le bureau de Vincent. Elle inspecta la pièce, les livres, le cendrier rempli de mégots, avant de retourner au salon. Elle avait une légère migraine, mais elle avait envie de traîner un peu, elle aimait ces moments de solitude, en pleine nuit. (Quand elle rentrait du théâtre, pendant que les autres dormaient, elle s'accordait une trêve, une fuite dans le rêve, Mathilde se délassait.) Elle regarda par une fenêtre la grande place déserte, l'immense église couverte d'ombres, elle ressentit le froid qu'il y avait dehors et fut envahie d'un immense frisson.

Mathilde pensa à Vincent. Elle avait pensé à lui de très nombreuses fois ce soir! (À plusieurs reprises, elle avait éprouvé l'envie subite de rentrer, de rentrer aussi dans cette image – Vincent qui travaillait à son bureau – afin d'appartenir au souvenir d'un instant disparu, qu'elle n'arrivait pas à oublier, à chasser de sa tête.) Elle ne savait pas pourquoi l'aimer lui donnait tant de tristesse. Ni pourquoi Vincent l'incitait, presque malgré elle, à le tromper, à cultiver une clandestinité dont elle avait un besoin fou et parfaitement inutile. (Ces derniers mois, pendant qu'elle jouait en province *Hedda Gabler,* Mathilde avait eu une aventure avec un acteur de la troupe. Cet homme ne lui avait inspiré aucun sentiment. Il ne lui avait procuré aucun réel plaisir. Et pourtant, chaque nuit, elle lui avait ouvert son lit. Pourquoi? Pourquoi cette dérive vers des amants qui ne réussissaient jamais à prendre la place de Vincent?) Mathilde se sentait obscurément jalouse. Elle jalousait l'intelligence de Vincent, sa beauté, le monde des livres et des idées où il vivait; elle jalousait son enfance et son passé, ses secrets et ses mystères : en somme, tout ce qu'elle aimait rageusement en lui! Comment peut-on jalouser chez un être ce qui provoque justement l'amour qu'on lui porte? Mathilde enviait Vincent, ce qu'il lui offrait et qu'elle n'aurait jamais à elle. (Elle enviait aussi son regard sur les choses, ses mots, son sexe et son destin.) Pleine de convoitises, elle espérait en le trompant s'éloigner de lui, de ses odeurs (ses parfums d'automne), et trahir en quelque sorte sa propre jalousie qui la rendait malheureuse et malade.

Mathilde s'était assise dans un fauteuil, croisait et décroisait les jambes, elle ne comprenait pas d'où lui venait ce poids sur le cœur (l'alcool peut-être?), une émotion qui la terrassait de fatigue. Elle songea une dernière fois à Vincent, à son sommeil qu'elle s'apprêtait à rejoindre, puis elle se dit avec regret qu'il était bien trop tard pour le réveiller et faire l'amour! Elle se leva, éteignit les lampes, commença tout en marchant vers leur chambre à dégrafer les pressions de sa robe, la tête lui tournait. Mathilde se faufila dans le noir, sa robe glissa, elle s'approcha à tâtons du lit et réalisa qu'il était vide, Vincent n'y était pas.

Elle l'attendit longtemps. N'y tenant plus, elle ne put s'empêcher d'interroger la jeune gouvernante qui ne savait rien, ne l'avait pas entendu sortir et voulait dormir. Mathilde revint au salon, se posta à la fenêtre d'où elle dominait la place et attendit encore longtemps. Soudain, ivre de tristesse, d'épuisement et de désir, elle se mit à vomir, toute seule, en regardant le ciel.

Le ciel d'hiver, neigeux, cotonneux, voyage et s'étire, poussé par le vent qui le déforme sans pour autant en altérer la pâleur. C'est un ciel vulnérable qui attire l'attention des enfants; il peut se remplir de pluie ou de flocons, d'étoiles d'argent et de paillettes d'or. Le ciel de décembre demeure un royaume de légendes, une caverne remplie de glace, de stalagtites que le mois de janvier réduira en cendres. Mais à ceux qui ne croient plus aux fées, il donne désespérément sommeil. C'est un gouffre de torpeur, de somnolence. Le ciel d'hiver donne continuellement envie de rentrer sous terre.

Quand il surgit très tard dans la nuit, Vincent trouva Mathilde endormie sur le canapé du salon, à moitié nue. Elle avait les mains et les pieds gelés, le visage encore fardé, des bas noirs et un slip de dentelle. (Autour du buste elle avait enroulé un châle de laine qui découvrait ses épaules et le haut de sa poitrine.) Mathilde sentit aussitôt sa présence, elle leva la tête et le regarda froidement. « Où étais-tu ? J'étais inquiète... Pourquoi arrives-tu si tard ? » Comme il ne répondait pas, elle se leva, fit quelques pas et se retourna : « Dis-moi... » Vincent avait quelques heures devant lui avant de se rendre au lycée. Il voulait se reposer ! Il murmura : « Rassure-toi ! J'ai éprouvé le besoin de me perdre dans Paris... Cela arrive, non ? Je suis allé boire un verre dans un bar. Un bar d'hôtel. » Mathilde chercha dans les yeux de Vincent à déceler la moindre trace d'un mensonge. Il ajouta : « Je n'ai rencontré personne mais j'ai trop bu. » Lorsqu'ils furent au lit, Vincent mit le réveil à sonner, elle dit en soupirant :

« Toi qui ne voulais pas sortir... C'est dommage. Nous aurions pu passer une soirée ensemble. Je t'ai regretté, ce soir.

– Dormons ! »

Il s'endormit très vite. Mathilde se redressa, approcha son visage du sien et se mit à sentir comme une bête les cheveux, le cou et le dos de Vincent. Elle espérait dépister l'odeur d'une femme. Mais elle reconnut le parfum habituel de Vincent mêlé à celui de son eau de Cologne. (Mathilde en fut presque déçue.) Elle jalousa violemment ces heures qu'il avait vécues sans elle, dans un bar, à boire et à rêver. Cette force de jalousie enflamma tout son corps. Elle s'imagina, dans ce bar et dans la peau d'une inconnue, assise à quelques mètres de lui. Il lui souriait : cet homme lui plaisait. Elle imagina la suite si bien, qu'elle eut encore envie de lui! Mathilde se blottit contre le dos de Vincent, contre le beau dormeur, et là, humant encore cette chair si douce, caressant l'une de ses épaules, ses doigts rencontrèrent plusieurs égratignures, des griffures causées sans doute par des ongles, dont la marque éclatante lui donna le sentiment d'une affligeante victoire.

Bien sûr, Mathilde ne put s'empêcher, dans la salle de bains (pendant qu'il se rasait), de lui dire sans aucun reproche : «Tu t'es griffé le dos! Tu as même saigné.» Vincent parut surpris, mais il était encore si fatigué qu'il préféra contourner la question et passer à autre chose. Demeurée seule, dans l'appartement, Mathilde songea que tout cela n'avait pas d'importance! Jusqu'à ce jour, la fidélité de Vincent, dont elle ne doutait pas, avait été aussi lisse qu'une peau d'enfant. Qu'elle fût enfin écorchée par une passade normalisait leur vie commune. À la limite, Mathilde se sentit plus légère : une infidélité de Vincent pouvait d'un seul coup justifier les siennes. Ce jour-là, elle s'arrangea avec soin, partit s'acheter une robe nouvelle, prit rendez-vous chez le coiffeur. Plus tard, elle se prépara dans leur chambre, réserva une table dans un restaurant du quartier. Elle souhaitait passer la soirée avec lui, sortir et faire la fête! Quand Vincent rentra du lycée, il crut qu'elle partait à un dîner sans lui. Mathilde l'assura du contraire : elle l'attendait, tout simplement. Vincent alluma une cigarette. Et, par sa manière d'être, sa froideur et son silence, il fit en sorte de lui montrer son indifférence. Mais elle ne voulut rien voir. Ce soir-là, Mathilde refusa de reconnaître entre eux le moindre désaccord.

Ce fut le lendemain, se rappelant le déroulement de leur dîner (leur morosité), qu'elle fut prise d'un complet affolement. Vincent lui téléphona pour la prévenir qu'il rentrerait sans doute assez tard, à cause d'un conseil de classe qu'il avait oublié. Elle n'en crut pas un mot, puis elle se ravisa. Ce n'était pas la première fois qu'il l'informait d'un retard! D'habitude, elle allait au cinéma ou bien lisait près du feu des pièces de théâtre. Aujourd'hui, elle n'arrivait pas à étouffer cette douleur de l'âme, humiliante et cruelle, qui se répandait dans l'infini de son obscurité. Mathilde fondit en larmes. Quand elle eut bien pleuré, elle se reprocha mortellement de soupçonner Vincent sans preuves. Le soupçonner de quoi? De lui mentir, de la tromper? Non... Mais peut-être de ne plus l'aimer.

Que Vincent ne l'aime plus lui semblait impossible. Ce n'était pas que de l'orgueil; Mathilde croyait à la logique d'un sentiment. L'amour ne pouvait cesser du jour au lendemain, sans raison suffisante. (En vérité, elle ramenait tout à elle-même : comme si l'amour de Vincent revenait au sien, sans aucune différence.) Or, Mathilde oubliait qu'une logique de sentiment n'est pas comparable à une logique de pensée. Elle n'a aucune valeur objective. Aimer durablement, c'est aussi entretenir une certaine humeur. Désormais, Vincent n'éprouvait-il pas le besoin, l'hiver étant venu, de se terrer dans un autre corps? Elle ne savait plus... Devant tant d'incertitudes, Mathilde se coucha et dormit plusieurs heures.

Il ne rentra pas aussi tard qu'elle l'avait prévu. Il s'assit sur le bord du lit, lui caressa les cheveux. Mathilde se sentit coupable d'être au lit, en peignoir et défaite. Elle lui sourit mais observa discrètement son visage : Vincent était comme rajeuni, comme à vingt ans! Son front, admirablement lisse, et ses joues, roses et tendres, ne lui ressemblaient plus. « Tu es beau, chuchota-t-elle. L'hiver te va bien. » Il ne répondit pas et lui tendit la main pour qu'elle sorte du lit. Vincent retira sa veste et sortit de la chambre. Rapidement, Mathilde fouilla dans ses poches. Qu'espérait-elle découvrir ? De nouvelles égratignures, une double vie, un peu d'amour ? Elle retrouva Vincent au salon, qui jouait avec son enfant. Apparemment, son humeur n'avait pas changé, elle en fut soulagée et lui demanda de faire un feu.

Quelques jours plus tard, alors qu'ils marchaient sous la neige, au sortir d'un cinéma, Mathilde glissa et tomba sur le trottoir. Vincent s'approcha d'elle, un peu pâle ; elle aperçut son visage au beau milieu du ciel, ses cheveux couverts d'un duvet de flocons, et là, Dieu sait pourquoi, elle eut l'intuition fulgurante (donc l'absolue certitude) qu'il ne se penchait pas vers elle mais vers une autre femme. Il fit semblant une nouvelle fois de lui tendre la main, mais ce n'était pas elle qu'il ramassait. (Quel rôle aujourd'hui lui donnait-on à jouer ?) Mathilde se sentit soudain dépossédée de son propre corps, de son propre personnage. Elle avait mal à l'une de ses chevilles, mais ce n'était pas elle qui souffrait ! Vincent lui proposa de la conduire dans une pharmacie. Mathilde s'accrocha à son bras, elle préférait regagner sa tanière et lécher seule sa blessure. Ils se remirent à marcher du même pas, tout doucement. Elle avait froid et grelottait. La chaleur de Vincent, contre elle, ne semblait lui offrir aucun réel soutien ni réconfort. Elle pleura, il ne s'en aperçut pas.

Mathilde me raconta cette scène comme s'il s'était agi d'un film. (Un couple traversait une place, un soir d'hiver, qui ressemblait au leur, sur un écran de neige.) Elle me dit aussi que la vie réservait parfois des sensations de ce genre, où l'on éprouve sa propre insuffisance, son insignifiance.

Tout devient faux! En même temps, l'intensité d'une telle perception nous fait découvrir quelque chose d'extraordinairement vrai : la vérité du mensonge, ce qui se cache derrière les apparences. On sent alors ses pauvres forces revenir. Et puis, de nouveau, tout disparaît, tout s'évanouit...

17.

Nul bruit ne troublait le silence de la classe. Le frotte-
ment des plumes sur le papier parvenait à peine à me distraire de l'attention rêveuse que je portais à toute cette neige
qui tombait en rafales derrière les baies. Pendant que mes
élèves réfléchissaient et écrivaient, je regardais danser les
fantômes et les nuages, le tourbillon des minutes et des
secondes, et mon esprit détaché de mon corps glissait sur
une bande de ciel, tout en haut, jusqu'au vertige. Le froid
buvait toutes les couleurs du monde, comme une éponge
absorbe l'eau. (À force de céder à la routine, de répéter
d'une année sur l'autre les mêmes choses, de poser les
mêmes questions, il m'arrivait de perdre l'équilibre,
conscient de perdre aussi mon temps! Alors, je ne résistais
pas au vent éperdu de la fuite...) Ce jour-là, tremblant de
plénitude, j'errais à travers l'espace comme un espion, quand
brusquement la sonnerie retentit. L'alarme du temps me fit
un coup au cœur. Du haut de mon estrade, je retrouvai malgré moi le cours banal des choses et ramassai mécanique-
ment les copies. Soudain il apparut dans l'encadrement de la
porte. Il s'approcha de moi, jeta un œil faussement intéressé
sur les sujets que j'avais donnés, puis il me dit : « Baptiste...
Je voudrais te parler de Constance. » Sur le moment, je crus

qu'il s'agissait d'une de ses élèves. Je compris bientôt que Vincent souhaitait me faire une confidence qui ne concernait pas le lycée. Quand nous fûmes complètement seuls, il m'entraîna dans le couloir, saisit mon bras et nous cherchâmes un endroit tranquille où nous retirer. Nous échouâmes dans une salle vide. Vincent ferma la porte, alluma une cigarette et prit un air de collégien à la fois penaud et rieur. (Visiblement il savourait un secret, il se délectait d'un goût et d'un parfum qu'il couvait en lui-même et qui lui tenaient chaud.) Je m'assis sur une table, subjugué par la neige qui tombait encore et par le visage de Vincent, cette joie lumineuse qu'il avait au bord des lèvres.

« J'ai trouvé une chambre pour l'hiver, me dit-il. C'est la chambre de Constance.

– Je me doutais qu'il y avait une femme dans l'air.

– C'est beaucoup mieux que ça! Constance, c'est surtout un espace. Un espace parfaitement limité, où je ne risque pas de me perdre. Tu comprends? Il y a quatre murs, un lit, Constance et rien d'autre. Il n'y a pas d'amour, aucun avenir possible. Dans la chambre de Constance, toute durée est abolie. Seul le présent compte. Et je renoue avec ce que j'étais autrefois : un jouisseur. Mon erreur avec Mathilde est de n'avoir pu me contenter du plaisir pur et simple. À force de l'aimer, j'ai déserté la volupté. »

Je comprenais sa logique mais ne saisissais pas où il voulait en venir. J'étais un peu gêné par le langage presque obscène qu'il me tenait (du moins par ce que j'attribuais à l'obscénité) : l'ivresse de l'impudeur, l'étourdissant désir de tomber dans le vide. Et je demeurais toujours fasciné par la poétique du corps, l'enthousiasme animal des amants.

« Mais qui est Constance? »

Vincent parut embarrassé. Il se tourna vers le ciel, comme s'il cherchait à y puiser une inspiration ou une consolation, puis il m'expliqua longuement, sur un ton didactique :

« Constance n'a que vingt ans mais elle a déjà deux vies!
Dans la première, elle est la fille unique d'une famille bourgeoise qui vit à Neuilly. Elle étudie l'anglais pour devenir
interprète. Dans la seconde, elle est une fille de joie qui
reçoit dans une petite chambre au cœur de Paris. Et là,
crois-moi, elle ne mâche pas ses mots! Pourquoi fait-elle ça?
Je ne le sais pas encore. C'est un moyen d'enfreindre les
règles, de gagner son pain, de purifier son âme en salissant
son corps, je ne sais pas... Un moyen d'exprimer un fantasme, de réprimer une névrose, d'aller jusqu'au bout du
malheur, c'est possible... Je la connais depuis trois mois. Au
commencement, je n'étais attaché qu'à mon propre plaisir.
Jusqu'au jour où j'ai senti que je lui en donnais aussi. Dès
lors tout a basculé. Non pas dans l'amour. Car dans la
chambre de Constance le sentiment n'a aucune place. Mais
dans l'humiliation et l'offense. Quelque chose qui ressemble
à une menace de mort. »

Vincent s'arrêta de parler, intimidé comme s'il m'en avait
trop dit. Mais je souhaitais qu'il m'entraîne plus loin encore
dans son aventure.

« Dans laquelle de ses deux vies l'as-tu rencontrée?

– La seconde. Je ne sais rien ou presque de l'autre
Constance. Je ne suis pas sûr que ce soit d'ailleurs son vrai
prénom. Et peu importe! Pour elle je ne suis qu'un simple
client. Mais avec moi elle s'entend bien, me dit-elle. Je la
crois. Parfois, dans son regard, je sens une vraie sympathie.
Comme un regret de m'avoir connu dans cette vie-là, où
l'argent scelle nos liens. Où ce que nous échangeons de
nous-mêmes n'évoluera jamais.

– Bon. Et alors...?

– Alors je suis heureux, Baptiste. Cette rencontre change
ma vie. Je ne pense plus qu'à la revoir! Quand je suis avec
Constance, je me sens parfaitement libre. C'est un compor-

tement qui ne peut avoir aucune conséquence ni devenir. Là réside le danger d'une telle liaison. Elle n'engage que l'instant, chaque fois. Mais tout moment que nous passons ensemble me dévore à jamais. Constance est la première femme qui me donne le goût du ciel.

– Et Mathilde?

– Mathilde soupçonne quelque chose. Mais elle n'a rien à craindre... »

Vincent s'arrêta de parler, fit quelques pas et respira longuement comme après un effort. Il continua :

« C'est merveilleux! À toi je peux tout dire. Je sais que tu ne me jugeras pas. Je me demande encore comment j'ai pu vivre sans toi si longtemps... Sans témoin. Je crois que ton absence a joué sur certains de mes choix. Comme ta présence aujourd'hui me permet d'en faire d'autres. Ton regard sur moi abolit le moindre reproche que je peux formuler à l'encontre de moi-même. »

Quelques jours plus tard, il m'emmena en voiture place de l'Opéra. Il se gara devant un café, alluma une cigarette et mit une main sur mon genou. Je le sentais nerveux et impatient. (Sa main sur moi cherchait à me rendre complice de son anxiété, de son agitation.) Nous restâmes ainsi sans ouvrir la bouche. Vincent guettait quelqu'un dans la foule des passants, sur le trottoir. Soudain il eut un sursaut et cria presque : « La voilà! » Il me désigna du doigt une très jeune femme qui sortait du café avec un homme. Elle avait les cheveux longs et bruns, des lunettes noires, un visage fin et régulier. Elle était vêtue d'un jean moulant et délavé, d'une canadienne avec le col relevé. (« C'est dans ce café qu'elle donne ses rendez-vous. C'est là qu'on se retrouve. Sa chambre n'est pas loin. ») Constance s'était accrochée au bras de l'homme qui l'accompagnait; elle posa même, un instant, tendrement sa tête sur son épaule. Vincent les regardait s'éloigner, l'air impassible. Mais sans doute eût-il aimé être à la place de celui qui allait aujourd'hui dans la chambre de Constance. Quand ils eurent disparu, Vincent démarra et me laissa chez moi.

Le souvenir que m'avait laissé cette jeune femme, aux allures d'étudiante, menant une double vie, demeurait un souvenir troublant. Pour moi qui ne connaissais pas les exaltations du corps et m'en passais si bien, Constance attisait mon imagination; et je finis par me demander si Vincent ne me l'avait pas montrée du doigt dans le but de me donner des idées! Une nuit, je rêvais de la chambre de Constance. C'était une pièce vide et sombre, sans aucune fenêtre, avec au beau milieu un matelas posé à terre, un lavabo derrière un paravent; une pièce vide et sans âme, presque sale, avec aussi, comme seule trace de vie, une paire de bas noirs posée sur une chaise. L'idée que me donnait Constance n'était pas éloignée de celle que j'avais de Mathilde. Au fond, Mathilde n'avait-elle pas aussi plusieurs existences parallèles, variant selon les lieux et les heures? (Il y avait Mathilde dans ses appartements privés, Mathilde sur scène ou déambulant dans une rue, Mathilde nue dans une chambre d'hôtel...) Les rôles de Mathilde étaient sans doute plus nombreux que ceux de Constance. L'une et l'autre me donnaient envie d'aimer, à travers Vincent, le corps des femmes. (Comme on aime un corps représenté sur une toile, dont on admire la forme et la beauté, l'extraordinaire impudeur et la parfaite intelligence avec laquelle il vous tient à distance.)
Je revins sur les lieux de Constance. Un soir, seul, j'entrai dans le café et je l'attendis. Elle ne vint pas. J'en fus déçu. Je

ne lui aurais jamais parlé, mais je l'aurais observée. Peut-être serais-je arrivé à me sentir quelque peu humilié, offensé, selon les mots de Vincent, par ma propre impuissance à la désirer ? Ce fut par hasard que je la revis. J'étais allé m'acheter, un samedi, un billet de concert à l'Opéra. Il faisait si froid que machinalement mes pas me conduisirent dans ce café, au coin du boulevard. Constance était là, assise à une table, en train de lire devant un verre de vin rouge. Elle était habillée comme la première fois. Mais ce jour-là, je découvris entièrement son visage. Constance me parut belle! Elle avait une expression sérieuse, absorbée dans la lecture. Quand elle levait les yeux, des taches bleues, comme des morceaux de ciel, se figeaient dans une fausse attention sur le monde. J'étais installé assez loin d'elle, mais je ne perdais aucun de ses gestes quand elle buvait (elle portait le vin à sa bouche et chaque gorgée provoquait un sourire), puis, sa main maigre et blanche, de petite fille, revenait se poser sur le livre avec une précision implacable. Son secret me fascinait. (Personne n'aurait pu, autour d'elle, dans ce café, deviner ce qu'elle faisait là! À l'exception peut-être de quelques habitués, des serveurs et de moi.) Bientôt il se passa ce que je n'aurais jamais osé espérer : Vincent entra. Dès qu'il l'aperçut, son visage s'illumina. Constance sembla d'ailleurs contente de le voir et ferma le livre. Vincent l'embrassa rapidement sur la bouche, visiblement il ne voulait pas s'asseoir et sortit un billet d'une poche qu'il jeta sur la table. Sa manière de payer m'amusa. Il jouait au grand seigneur et n'attendit pas sa monnaie. Je ne cherchai pas à me cacher de lui, mais ils sortirent très vite, Vincent ne me vit pas. À travers la vitre, je pus les suivre des yeux. Il la prit par les épaules et l'entraîna d'un pas rapide sur ce chemin qu'il connaissait par cœur, du café à la chambre, de la ville au nuage. (On aurait dit un couple d'amoureux, un couple banal, un hiver à Paris.) Je me mis à songer à Mathilde, et je n'étais pas fâché que Vincent la trompe avec une jeune et jolie fille, même si l'argent définissait leur raison d'être ensemble, ça ou autre chose, tout me paraissait d'un mystère égal dans l'étrange face-à-face d'un homme et d'une femme. Songeant à Mathilde, je me sentis rougir tout seul en imaginant l'intolérable honte qu'elle éprouverait au fond de son corps, en découvrant que Vincent pouvait préférer à son obscurité infinie l'univers limité d'une belle putain.

Une nuit, je rêvais encore à la chambre de Constance. Étrangement, elle ne ressemblait plus à la pièce sinistre et sombre du premier rêve. C'était une chambre spacieuse et fortement lumineuse. Entourée de murs blancs, avec deux hautes fenêtres tendues de voilages par lesquels le soleil s'infiltrait. Le lit était imposant, énorme, couvert de satin. Du plafond un lustre pendait, chargé d'innombrables gouttes de cristal. Je voyais cette chambre comme si j'y étais, comme si j'y attendais Constance ou Mathilde. Il y avait sur le dossier d'un fauteuil beige, une paire de bas blancs et un slip de soie. Appartenaient-ils à Constance ou à Mathilde ? Dans mon rêve, c'était sans différence. L'ambiance de la chambre était irréelle, traversée de reflets de lumière, avec des ombres sur le mur. Cela ressemblait à la mort, à l'envers d'un décor ; et je trouvais insupportable l'idée d'être mort dans cette chambre ! Quand je me réveillai, je fus soulagé de contempler l'immense ciel d'hiver. Je compris alors que l'homme du péché et le héros de la foi ne faisaient qu'un ; que toute perdition se prolonge toujours par une résurrection.

18.

Si le péché est condition de la foi, en retour la foi est nécessaire au péché. C'est un double aspect sans dualité d'expériences. Il devenait de plus en plus clair que Vincent avait besoin de payer pour aimer – donc besoin, quelque part, de souffrir. Vivre l'amour comme le contraire d'un don gratuit, c'est se mettre plus tard en situation de se racheter. Vincent aimait Mathilde, mais il faisait en sorte de se rendre malheureux en la poussant à tromper sa confiance! Plus Mathilde doutait de lui (de son sentiment pour elle), plus elle éprouvait le besoin d'attiser d'autres hommes. Et Vincent adorait provoquer le doute et la méfiance en elle. C'était plus fort que lui! Chacun a ses faiblesses, et la faiblesse de Vincent demeurait les femmes. D'un autre côté, il y avait aujourd'hui Constance. Avec elle, Vincent avait l'impression de ne tromper que le corps de Mathilde. Il s'offrait les services d'une femme, en sachant que celle-ci ne vendait qu'une part d'elle-même. (L'autre demeurait une partie dans l'ombre, à laquelle il n'aurait jamais accès. Ce qui l'arrangeait.) C'était le plus voluptueux péché que de nourrir une telle mauvaise foi! Son idéal n'était-il pas la possession du vide? Quant à moi, je partageais les amours de Vincent en m'accusant parfois d'être la conscience de ses illusions. Je m'en voulais de cette immense paresse morale, par laquelle j'acceptais si bien tout ce qu'il me disait. Comme je ne connaissais rien aux femmes, je me laissais bercer par n'importe quelle musique! Et puis, les aventures de Vincent me renvoyaient leurs échos. Je rêvais à loisir, m'initiant au péché par la foi que j'avais en lui, en ses paroles, en ses histoires. Ainsi le péché n'est-il pas toujours lié au sentiment de culpabilité. Mais au sacrifice joyeux de son innocence, de son enfance.

Vincent voulait être clair avec lui-même; c'est-à-dire aller jusqu'au bout de l'évasion que lui proposait Constance. Comme elle était prête à tout pour mériter l'argent qu'il lui donnait, Vincent avait l'embarras du choix. Au début – m'expliqua-t-il – il savourait la jeunesse de ce corps, sans se poser la moindre question. Quand il sentit à sa manière de parler, de penser et de se tenir, que Constance avait de l'éducation et de la culture, il commença à l'interroger. (Elle récitait par cœur des pages entières de Shakespeare, lisait dans le texte des romans de Powys et de James.) Sa clientèle était triée sur le volet. Les clients de Constance étaient en général des hommes d'affaires, le plus souvent de passage, qui auraient pu, chacun, être son père. Ils la prenaient au passage d'une conversation, rapidement, sans laisser de traces. Vincent était le plus jeune à venir la voir aussi régulièrement. Elle ne s'en étonnait pas. Constance s'étonnait seulement de sa brutalité, certains jours, son avidité à abuser des droits qu'il s'octroyait, après avoir glissé l'argent sous l'oreiller. Il voulait l'entendre crier. (Crier sa joie.) Un jour, elle lui avoua que sa joie était devenue sincère. Dès lors, Vincent décida de lui donner plus d'argent encore. Constance acceptait à peu près tout ce qu'il lui demandait. L'unique chose qu'elle refusait, c'était de passer une nuit avec lui. (Même contre tout l'or du monde, elle ne voulait pas.) Dormir avec un homme était pour elle une preuve d'amour. Un partage de sa respiration, de son repos et de ses rêves. Elle aimait bien Vincent, mais pas au point de s'abandonner une nuit entière à ses côtés. La nuit, un autre lit l'attendait, dans une autre vie : pour Constance, il y avait des lois grâce auxquelles elle évitait la folie. Cet hiver-là, malgré le froid terrible et la neige, elle préférait rentrer chez elle au beau milieu de la nuit, plutôt que de rester avec lui dans cette chambre où elle aurait été incapable – disait-elle – de dormir. (En revanche, pour Constance, Vincent aurait pu faire la folie de déserter son lit.) Parfois il la raccompagnait en voiture jusqu'à la porte de Neuilly. Il lui avait promis qu'il ne la suivrait jamais au-delà. Constance s'éloignait, d'un pas rapide ; Vincent restait un long moment, seul dans le brouillard, à réinventer, le sexe bandé, le son de son cri. Puis il regagnait, heureux et docile, son foyer conjugal.

Avec Constance, il s'amusait à trouver des jeux érotiques, dont il finit par faire très vite le tour. Comme il ne voulait surtout pas lui causer le moindre mal, il ne s'écartait pas de leur plaisir. Il adorait par-dessus tout la regarder lire. Vincent était toujours ému en observant une femme plongée dans la lecture. Constance se mettait nue, ouvrait un livre, s'allongeait à plat ventre sur le lit et commençait à haute voix à déchiffrer la prose ou les vers, pendant qu'il écartait ses cuisses, lui léchait le dos et les fesses, puis il la prenait subitement, de plus en plus violemment, jusqu'à ce que la voix récitative de Constance tourne au râle, à l'hésitation, et enfin au cri. (Vincent me disait qu'une femme en train de lire dans un café, dans un jardin, lui donnait toujours envie d'elle. Parce que la lecture absorbe tant l'âme, que le corps ne répond plus à aucun ordre.) La chambre de Constance devenait ainsi un lieu de culte : on y célébrait les mots dans une parfaite extase.

Après qu'il eut fini son récit, je lui demandai :
« Mais avec Mathilde n'as-tu jamais eu l'idée de tels jeux ?
– Si. Mais je n'aurais jamais osé lui proposer.
– Pourquoi ?
– Parce que nous en avions d'autres. Et sans doute moins innocents ! Des jeux qui engagent le cœur. »
Vincent était venu me voir, un après-midi, au début des vacances de Noël. Il faisait sombre, mais il était de bonne humeur. Il me dit encore :
« Tu sais, Mathilde m'a souvent reproché de n'avoir pas assez d'ambition. D'être un simple prof de lycée, et de gravir les échelons d'une échelle trop courte ! Elle aurait aimé que j'aie une chaire dans une faculté ou que j'écrive des livres. Que je sois un maître ou un artiste. Encore mieux : les deux à la fois ! C'est normal... Je la comprends. Cet avenir-là ne m'a jamais tenté. Depuis la mort de mon père, je ne manque pas d'argent. Et ma seule ambition, au fond, c'est de mériter d'aimer la vie. Quand on est au ciel, j'imagine que la vie doit se mériter ! En attendant d'y être, il faut faire comme si. Chaque individu n'est-il pas l'âme du monde ? »
Vincent se retourna et, d'un geste rapide, alluma une lampe derrière lui. Je le voyais à contre-jour me sourire. La lumière éclairait fortement son épaule.
« Jusqu'à ce jour, dit-il, c'est à Saint-Cloud, au collège, que j'ai été non pas le plus heureux mais le plus serein. Ce fut une époque formidable ! J'étais serein parce qu'insensible aux passions. Le mal du siècle, s'il y en a un, est de s'exténuer à le créer sans cesse. Dans la nostalgie du passé ou de l'avenir. Ce que j'admire chez Constance, c'est qu'elle se

projette naturellement, et sans nostalgie, dans un étrange divertissement qui n'a aucun rapport avec le temps. Mathilde, au contraire, fait passer tout jeu pour une authentique passion.

– En es-tu si sûr ? À travers sa double vie, cette fille ne règle-t-elle pas des comptes avec son passé ?

– Peut-être. Mais elle a choisi l'audace et non la nostalgie. C'est un don de la vie. »

Je n'arrivais pas à me détacher de l'épaule lumineuse de Vincent. Je finis par lui avouer ma visite dans le café. J'avais vu Constance et assisté à leur rendez-vous. Je sentis Vincent fâché, presque furieux, comme s'il ne croyait pas au hasard. Depuis le jour où il m'avait indiqué ce café, il lui semblait impossible que j'entre là, sans y penser, sans espérer la trouver ou même les trouver ensemble.

« Qu'est-ce que ça peut faire ? demandai-je.

– Je ne sais pas, ça me dérange. Constance ne m'appartient pas, et qu'elle puisse être à d'autres me désespère ! Tu étais comme quelqu'un d'autre. Comme tous ceux qui peuvent se l'acheter.

– Tu deviens fou, Vincent. Elle te monte à la tête. »

Brusquement il se leva, enfila son manteau et me dit au revoir. Il fit quelques pas et revint vers moi. Il avait l'air de regretter de partir ainsi et ne savait plus comment s'y prendre.

« Tu as fouillé dans mon temps, et sans ma permission. C'est pourquoi je t'en veux !

– Ce n'est pas la première fois. Souviens-toi. Un dimanche, je t'ai espionné à travers les feuilles d'une glycine.

– C'était différent. Ton regard ne cherchait que moi. Alors que là, il y avait Constance. Et elle n'est pas à moi. Tu ne peux pas comprendre... »

141

Il partit et j'en fus blessé. À mon sens, je n'avais pas trahi sa confiance. Puis il me vint à l'esprit qu'il avait peut-être raison : dans ce café, je convoitais inconsciemment le secret d'une chambre, son mystère et son rite. Maintenant que j'en savais plus sur ce qui s'y passait, l'idée d'y aller risquait de devenir une obsession. (La chambre de Constance ne serait-elle pas pour moi une magnifique initiation ?) Après le départ de Vincent, je me mis à contempler le ciel. Il était mauve, presque noir. Je rêvais à ce que je pourrais demander à cette fille : quel livre, quelle perversité choisir ? Dans l'absolu, le plus enivrant eût été de transformer la chambre en une scène de théâtre, et d'y jouer un huis clos à quatre personnages : Constance, Mathilde, Vincent et moi. Un drame bourgeois, grotesque, érotique, où chacun s'exténuerait à exprimait sa nostalgie. Pour en revenir au péché, je ne pouvais qu'en avoir une ineffable nostalgie. Les trois autres en assumaient l'esprit.

19.

Quelques jours plus tard, j'eus la visite de Mathilde. (Elle m'avait téléphoné un matin pour me demander si je pouvais la recevoir dans la journée. Elle ne pouvait pas attendre.) Nous prîmes encore rendez-vous à l'heure du thé. Mathilde posa son manteau de fourrure sur une chaise et se dirigea aussitôt vers l'une des fenêtres. « Quelle vue vous avez d'ici! dit-elle. Baptiste, vous êtes entre ciel et terre... » Ce jour-là, elle avait choisi d'être naturelle, sans aucun maquillage, les cheveux relevés avec des mèches qui tombaient sur ses tempes. (Mathilde avait un visage d'hiver, presque gris.) Elle resta encore un moment à admirer le paysage des toits sous les brumes, puis elle s'installa par terre, sur un tapis, les jambes repliées. « Décidément, ajouta-t-elle, l'heure du thé devient notre habitude. Ce qui n'est pas un reproche! J'aime bien entretenir certaines habitudes avec mes amis. » J'étais assis devant elle, dans un fauteuil, et regardais ses genoux sous les mailles de bas fins. Pendant que l'eau chauffait, nous parlâmes avec légèreté de notre fatigue, des humeurs de saison, de Leïla que je n'avais pas vue depuis longtemps... Mathilde m'annonça qu'elle avait peu de projets, sinon une lecture de poèmes de Claudel dans le grand amphithéâtre de la Sorbonne, le mois prochain; je lui promis ma présence.

Puis elle s'évada de nouveau dans le ciel et revint vers moi, l'air abattu. Je mis de la musique en sourdine, remplis nos tasses. Elle commença à me parler, d'abord très lentement, avant de retrouver un rythme normal, comme si elle cherchait non pas à fixer ses mots à ses souvenirs, mais conduire mon attention jusqu'à ce que je puisse être à sa place, au creux même de sa détresse et de son inquiétude. Mathilde me raconta son histoire depuis cette soirée où elle avait laissé Vincent chez eux pour ne plus jamais le retrouver. (Le nom de Constance me brûlait les lèvres et me donnait sur Mathilde une supériorité savoureuse.) Quand elle eut fini, elle décroisa les jambes, changea de position, et le crissement de ses bas fut comme un cri assourdi de son cœur.

« Il se passe quelque chose dans la vie de Vincent. Une femme, c'est évident. Il rentre parfois au milieu de la nuit et je ne comprends pas pourquoi. Pourquoi ne reste-t-il pas avec elle ? Pourquoi fait-il semblant d'être avec moi ? Au point où nous en sommes, je préférerais qu'il m'annonce clairement la couleur. Je ne supporte pas sa trahison. »

Elle avait un accent sincère et Mathilde, vraiment, me désorientait.

« Vous qui trompez Vincent, n'avez-vous jamais eu le sentiment de le trahir ?

– Non. Dans ces moments-là, c'est moi que je trahis ! Et puis c'est différent. Mes aventures ne m'ont jamais coupée de lui. D'abord elles ont toujours été secrètes. Ensuite elles ne m'ont jamais empêchée de continuer à l'aimer par-dessus tout !

– Il n'y a aucun secret, Mathilde. Vincent vous connaît bien.

– Je ne vois aucun inconvénient à ce que Vincent me trompe de temps en temps. Mais je ne supporte pas qu'il installe une autre femme sous mon toit. Or, elle est là. Pré-

sente, dominante, habilement silencieuse. Je connais son
odeur, son parfum, la couleur brune de sa chevelure. J'imagine qu'elle doit être belle, car je connais aussi Vincent. Je
devine même certains de ses gestes : elle peut le griffer à
sang! Mais j'ignore son nom, son âge, son adresse. J'ai désespérément cherché : Vincent ne garde rien sur lui, si ce n'est
l'obsédant souvenir de cette femme qui ne le lâche pas d'un
pas. »

Mathilde se leva, marcha vers la fenêtre, elle se tenait derrière moi, je l'entendais respirer, soupirer; elle avait le visage
de Constance, son corps et son éclatante jeunesse.

« Je lui ai demandé plusieurs fois. Plusieurs fois je l'ai sup-
plié de me dire la vérité. Mais inflexible il me répond : Tu
n'as rien à craindre, rien. Je voudrais le croire, mais je n'y
arrive pas... »

Elle posa ses mains sur moi, sur mes épaules. Mathilde me
pria de parler pour lui, de lui avouer enfin la vérité. Je sentis
sa bouche contre mon oreille, son haleine tiède. Mais il
m'était impossible de lui répondre. J'acceptais d'être à sa
place, non à celle de Vincent! Ses mains me lâchèrent, elle
dit encore : « Puisque nous l'aimons tous les deux, vous
devez comprendre ma peur de le perdre. » Mathilde s'agenouilla près de moi et mit sa tête sur l'accoudoir du fauteuil.
Je me mis à caresser ses cheveux et je crus qu'elle pleurait.
Je finis par lui certifier que Vincent ne lui mentait pas : à
mon avis elle n'avait rien à craindre, rien!

« Je n'en suis pas si sûre, dit-elle. Je ne suis plus sûre de
rien. Qui est-elle? Où vit-elle? J'ai besoin de savoir.
Vincent, répondez-moi... »

Elle m'avait appelé Vincent sans s'en rendre compte. (Ou
bien elle cachait extraordinairement son jeu.) Soudain
l'occasion me parut trop belle! Ce fut plus fort que moi et
plus fort que Vincent. Plus fort que nous. Je posai ma

bouche sur celle de Mathilde; elle se laissa faire et ferma les yeux sur mon visage. (J'embrassais Mathilde comme si j'étais Vincent.) Elle avait un goût salé de larmes ravalées. Puis j'eus envie de la prendre dans mes bras, alors je fis l'immense effort de me lever, de lui tendre la main et de l'aider à venir vers moi. Mathilde gardait les yeux fermés (sans doute était-ce pour entretenir encore l'illusion?) et, tout entière, se rapprocha de moi, si bien, si fort que, de nouveau, ma bouche plongea en la sienne. Je me souvins de la phrase de Vincent et j'eus l'impression, en effet, d'entrer dans de l'eau fraîche, de nager comme un poisson vers une destination inconnue, dans une douce obscurité. À ce moment, Mathilde ouvrit les paupières, elle me reconnut, eut un léger frisson et me caressa la joue, comme si elle voulait s'assurer que ma peau était aussi lisse que ce qu'elle pouvait en attendre.

« Baptiste, murmura-t-elle... Je ne sais plus où j'en suis. Heureuse. Malheureuse. Et à quel jeu jouons-nous? »

Elle s'écarta de moi, souriante, le teint déjà moins pâle. Elle retira quelques épingles de sa coiffure, des mèches tombèrent, puis elle s'accrocha encore à mes lèvres; elle plaça une main sur mon sexe et la retira aussitôt. Quand Mathilde s'éloigna, je compris que c'était définitif.

« Vincent prétend... Est-ce vrai que vous n'avez jamais...
– Couché avec une femme...? »

Elle rougit et fit signe que oui. J'avais mal au cœur, le désir me prit de respirer le ciel; j'entrouvris une fenêtre.

« Vous n'êtes pas forcé de me répondre...
– Je suis vierge, Mathilde. Je n'ai jamais joui dans le sexe d'une femme, ni ailleurs. Cela vous tente-t-il?
– Non, répondit-elle. Pas aujourd'hui, pas maintenant. »

Elle remit ses cheveux en place et revint à sa propre histoire. Une dernière fois, elle essaya de me questionner sur la maîtresse de Vincent. Mais je ne répondis pas. Elle n'insista plus. Mathilde enfila son manteau de fourrure et m'embrassa tendrement.

« Vous n'avez rien à craindre, lui dis-je encore. Vous ne perdrez pas Vincent ! »

Quand elle fut partie, je fondis nerveusement en larmes. Je me mis à écrire, à rassembler, comme ça, quelques souvenirs de Saint-Cloud, du ciel certains jours vu du parc... Au fur et à mesure que j'écrivais, je me sentais de plus en plus serein, nettoyé du goût salé de Mathilde. Je retrouvais Vincent tel que j'avais pu l'être en embrassant sa femme ! L'illusion, sans être complète, m'avait au moins permis de me ravir à moi-même. Être dans la peau de Vincent me conduirait-il jusqu'à la chambre de Constance ? (Écrire me parut subitement la plus grande jouissance, ou plutôt une forme de tension vers la plus grande jouissance : jouir dans le ciel, sans limites, hors de mon propre corps, et approcher la mort...)

Je ramassai une épingle à cheveux qui traînait sur le tapis. J'eus un instant la tentation de la jeter, de la mettre à la poubelle. Puis je me dis qu'elle pourrait me servir. À quoi ? À me rassurer sur mon sort ou à m'ouvrir les veines ? Je rangeai l'épingle dans une boîte, dans le noir, et, toujours au bord du mal de cœur, je me demandai ce qu'elle pouvait bien faire là... Dans laquelle de mes vies une femme avait-elle pu perdre chez moi un accessoire de sa toilette ?

20.

Avoir des secrets et plusieurs vies, c'est lutter contre ce que le destin peut avoir de singulier et de réducteur. C'est chercher la dispersion à travers de nombreux possibles, tramer des ramifications dans la réalité des autres, à la fois simultanées et diversifiées. L'illusion est redoutable. Parce que l'ennui, malgré tous ces efforts, demeure. L'ennui vient avec la conscience de ses propres limites et des limites que nous impose le temps. (Comment consentir, dans un monde illimité, à n'avoir qu'une seule vie pour être soi-même à l'image du monde?) S'ennuyer est métaphysique. S'il n'y avait pas le ciel au-dessus de nous, qui nous appelle sans cesse vers l'infini, nous nous contenterions sans ennui des rondeurs de la terre. Hélas, nous subissons sans cesse la tentation de l'au-delà, et celle d'essayer d'être parfois ce que nous ne sommes pas. Par le jeu des miroirs, des reflets, des facettes, l'existence devient baroque et nous offre d'innombrables prolongements qui retombent tôt ou tard en poussière. C'est contre l'état de poussière qu'il nous arrive de nous opposer au destin. (En s'inventant des libertés dont certaines font très mal.) Mais il n'est rien de plus étonnant que de constater l'avance que possède souvent le destin sur ses victimes! Être une victime du destin n'est-ce pas justement subir, dans l'aveuglement, l'unicité de son sens?

Comme je m'ennuyais, je revins presque malgré moi, et malgré l'interdiction de Vincent, quelques jours avant Noël, dans ce café à l'Opéra, comme attiré par un fruit défendu, pour me prouver que je n'étais pas une victime des dieux. Constance arriva une demi-heure environ après moi. Elle choisit, comme à son habitude, une table en vitrine, sortit un livre, regarda l'heure à sa montre et commanda un verre de vin rouge. (Elle avait sans doute rendez-vous, mais aujourd'hui ce n'était pas avec Vincent! Il passait les premières fêtes en famille, en Corse, au bord de la mer.) Très vite je changeai de table pour m'asseoir près d'elle, dans son sillage, où je pus découvrir le titre du volume qu'elle lisait : *Reflections in a Golden Eye*. Constance s'aperçut de l'attention que je lui portais et me dévisagea d'un air hautain. Apparemment, elle aimait attendre ses clients, dans l'isolement de la lecture, afin de jeter un pont entre ses deux vies. (De cette manière, elle réduisait tout risque d'éprouver à l'égard d'elle-même un sentiment de trahison ou pire : du dégoût.) J'avais envie de lui parler mais ne savais comment l'aborder. Le plus simple – je m'en doutais – eût été par le biais du roman : les drames de la passion. Mais je préférais choisir la difficulté et lui parler de Vincent. Un instant, son regard s'envola vers le ciel, sa main saisit le verre de vin, j'en profitai pour attraper doucement son bras et je lui dis : « Je suis un ami de Vincent. » Elle se tourna brusquement vers moi et ne parut pas comprendre un traître mot de mon langage. Il était trop tard. Je dus poursuivre en regrettant une audace dont l'issue fatale ne me conduirait pas loin : à m'empêtrer dans une amitié que je revendiquais pour rien.

« Vous êtes Constance, n'est-ce pas?

150

– Oui.

– Vincent m'a parlé de vous. Je sais qui vous êtes. »

Elle parut réfléchir et but encore, en souriant, une gorgée de vin.

« Je suis bien Constance mais ne connais pas Vincent! »

Je sentis qu'elle ne se moquait pas de moi. Alors je rougis, presque soulagé de m'être à ce point trompé et d'en rester là, sur une énigme. Elle reprit le fil de sa lecture comme si, entre nous, rien ne s'était passé. Observant machinalement les passants sur le trottoir, il me vint une idée et je fis une dernière tentative :

« Pardonnez-moi. J'insiste. Une confusion est possible. Il doit s'agir de Baptiste.

– Ah oui! Baptiste me dit en effet quelque chose. Vous êtes un ami de Baptiste? »

J'acquiesçai de la tête. Elle éclata d'un rire bref.

« En vérité, il se prénomme Vincent, c'est cela? »

Je décidai de ne pas répondre et de laisser Vincent à son mystère. Au fond le stratagème ne me dérangeait pas. Je comprenais que Vincent lui ait menti sur son identité. Il avait choisi Baptiste non au hasard mais d'instinct, instinctivement contraint à ce demi-mensonge; ou bien dans l'intention délibérée de m'entraîner avec lui dans une histoire, ce qui lui permettrait de ne pas en faire seul les frais.

« Je suis pressée. J'attends quelqu'un. Que puis-je pour vous?

– J'aimerais monter dans votre chambre.

– C'est impossible. Je suis prise aujourd'hui. Et je ne fais pas le tapin. Les rendez-vous se prennent par téléphone. »

Constance paraissait froissée, elle rangea son livre, sortit un portefeuille et appela le garçon. À ce moment-là, un homme frappa au carreau, puis il lui fit un signe. (C'était un homme sans âge, vêtu d'un pardessus marron, qui portait une sacoche de cuir.) Elle se leva, m'adressa un regard farouche et me tendit une carte.

« Tenez, jeune homme, puisque vous êtes, soi-disant, un ami de Baptiste! Il n'y a pas d'objection. »

Elle sortit rapidement du café et rejoignit l'homme sur le trottoir. Constance lui prit le bras, posa sa tête sur son épaule, ils s'éloignèrent comme des ombres, à la tombée du soir. Demeuré seul, je regardai, un peu hébété, la trace de rouge à lèvres pâle qu'elle avait laissée sur le verre, et je lus sa carte. Il y avait seulement écrit : *Constance* – suivi d'un numéro.

Dans l'autobus qui me ramenait chez moi, j'étais convaincu que je ne l'appellerais jamais. Pourtant, à peine rentré, je composai le numéro et reconnus sa voix. (C'était un message enregistré, sur lequel elle invitait quiconque désirait voir Constance à laisser un numéro – et tout plaisantin à s'abstenir. Bien que j'en fusse un, je lui laissai le mien.) En attendant qu'elle me rappelle, je pensais à Vincent. Quelle raison me poussait ainsi à jouer avec le feu? J'avais embrassé Mathilde, je l'avais tenue dans mes bras, et m'apprêtais à visiter bientôt la chambre de Constance. Si Vincent apprenait un jour cela, il m'en voudrait certainement de m'être donné en spectacle dans les recoins obscurs de son intimité. Ce qui m'attirait, c'était justement la part d'ombre qui le séparait de moi. (Où il y avait le désir et les femmes.) En me faufilant sous les portes, je suivais les traces de Vincent et partais à l'aventure de ses innombrables reflets.

Cette nuit-là je m'endormis, exalté par cette image de moi-même, que je n'aurais jamais crue possible. Si j'accostais une femme dans un café, je pouvais espérer quitter enfin l'enfance interminable, mon village et mon quartier. Mais au fond de moi je savais qu'aborder une prostituée c'est aborder une femme par compassion et non par passion. On n'y met en général aucune fantaisie, aucun art. On traite avec le corps sans se soucier de l'âme. (Sur la carte de Constance, il n'y avait d'ailleurs aucune autre mention que celle de son con!) Quand elle m'appela le lendemain matin, elle se souvenait bien sûr de moi. Elle me donna ses tarifs et nous prîmes rendez-vous à 16 heures à la terrasse du café habituel. Je n'avais plus aucune envie de m'y rendre. Mais il était trop tard pour annuler! J'avais peur, atrocement peur de ne pas être à la hauteur de Vincent, d'être incapable d'aller jusqu'au bout de ma pulsion, de ma folie. Et puis, me souvenant que Constance n'était pas une femme comme les autres, je me dis qu'elle saurait accepter sans rire ce que je suis, puisque notre rencontre ne s'ouvrait pas sur la recherche d'un plaisir gratuit, ni sur celle d'un quelconque avenir. Soudain il me parut nécessaire d'entendre enfin la voix de Vincent et, si j'avais assez de courage, de lui dire tout... Je l'appelai donc en Corse et tombai sur Mathilde. Elle m'expliqua qu'il était parti de bonne heure faire une promenade sur les plages. Leur séjour se passait bien, mais Vincent était absent, comme ailleurs, à l'évidence il s'ennuyait... Ils rentreraient à Paris le lendemain de Noël. Elle me dit que l'ennui de Vincent était comme un désert qu'il traversait, où il ne reconnaissait personne. (« Nous ne sommes que des mirages dans ce désert, me dit-elle. Vincent nous parle, nous répond, mais nous n'existons pas vraiment. L'ennui de Vincent nous vide de toute substance. Même cette fille n'est plus là! La distance l'a dissoute. Et quand il part se promener pendant des heures, je me demande ce qu'il fait, à quoi il pense, à quoi il rêve! ») Mathilde ne fit aucune allusion à sa visite chez moi; ce qui me donna sans doute la force d'aller, sans plus me poser de questions, à ce rendez-vous où je n'avais rien à perdre, sinon quelques heures de mon temps.

Constance lisait encore ce roman américain, lorsque je m'assis près d'elle. Elle me serra la main et me sourit gentiment; nous échangeâmes deux ou trois mots sur cette complexe histoire qui, pour Constance, touchait à l'exaspérante obscurité de la sexualité. Ensuite elle renoua avec le fil de notre conversation et me parla de Vincent (qu'elle continuait à nommer Baptiste) :
« Vous le connaissez depuis longtemps ?
– Nous avons fait nos études ensemble depuis le collège.
– Que vous a-t-il dit sur moi ?
– Que vous aimiez les livres et la littérature.
– C'est vrai, dit-elle d'une voix à peine troublée.
– Que vous refusiez de dormir avec lui.
– Vous connaissez sa femme, j'imagine ?
– Oui. »
Plus je l'observais, plus je la trouvais belle, distinguée comme le sont les filles de bonne famille. Elle portait des vêtements élégants aux couleurs harmonieuses, et, ce jour-là, elle avait attaché ses cheveux avec un nœud de velours, ce qui donnait à son visage une pureté classique et agrandissait les lacs bleus de ses yeux. Je ne pus m'empêcher de lui demander :
« M'expliquerez-vous d'où vient ce que vous êtes, ici, avec moi ?
– C'est un besoin éperdu de toucher le fond, une fois pour toutes. J'ai été élevée dans une telle répugnance de la salissure, de l'humiliation et de la faiblesse, qu'elles ont fini par m'attirer comme des valeurs supérieures. Voilà. Je

n'aime pas parler de ça! Mais je peux ajouter que désobéir n'est pas trahir. Et la désobéissance est le seul moyen que j'ai trouvé pour ne pas devenir folle.»

Une fois de plus elle avait récité sa leçon, car je ne devais pas être le premier à l'avoir interrogée sur un mystère qui, pour elle, n'en était pas un. Aucune émotion n'était passée dans sa voix, aucune larme n'avait touché le bord de ses yeux. Elle me dit : «On y va?» Alors je sentis mon cœur battre à une telle vitesse que je craignis soudain qu'il s'arrête et de mourir, absurdement, pour les yeux bleus de Constance.

Dans la rue, elle s'accrocha à mon bras, posa sa tête sur mon épaule. (Tous ses gestes, ses élans répondaient à des règles parfaitement apprises.) Dans l'air froid de l'hiver, rendu à l'anonymat des passants, je me sentis moins oppressé et fier d'avoir une si jolie fille à mon bras. J'avais l'impression de marcher sur des nuages et d'avoir des ailes. Le trajet fut si court que je ne me rendis compte de rien! Je me retrouvai bientôt en bas d'un escalier de bois, dont la médiocre réalité défiait mon imagination même. Je dus m'élever dans l'obscurité, sans volonté ni connaissance.

21.

La chambre de Constance était une chambre de bonne sous les toits, toute blanche, avec des lucarnes qui s'ouvraient directement sur le ciel. Il y avait un lit, une table de nuit, un téléphone et un fauteuil dans un coin. Au sol, une moquette beige et bouclée. (Et puis – si je me souviens bien – une petite porte donnant sur une minuscule salle de bains.) Il y avait surtout une peinture, un immense portrait de Constance qui occupait tout un mur. Elle y était représentée nue, assise sur une chaise, les jambes écartées, avec entre les cuisses, à la place du sexe, un chat (ou plutôt une chatte) dont la fourrure noire et luisante attirait la main, la caresse. Constance me proposa de boire une bière et, tandis qu'elle revenait avec deux verres et des bouteilles, elle m'expliqua qu'elle louait cette chambre à un ami de son père, qui avait été le premier homme à l'initier à la violence de l'amour. De cette première violence elle ne pouvait plus rien dire, car elle avait tout fait pour l'oublier. Puis elle me demanda de mettre l'argent sur la table. J'obéis et je m'assis sur le lit.

« Je crois que je ne vous toucherai pas, lui dis-je.

– Oh, j'ai l'habitude ! Qu'on me touche ou pas ne change pas grand-chose à l'horreur du geste. »

Elle but un peu de bière et se plaignit de la chaleur qui régnait dans la chambre. (Elle avait raison et j'étais en sueur.) Elle commença à se déshabiller et me demanda ce que j'attendais d'elle : quels mots, quelles insultes avais-je envie d'entendre de sa bouche ? Comme je ne répondais pas, elle me pria de m'allonger sur le lit, de m'étendre et de regarder un peu le ciel par la lucarne. Constance s'approcha de moi, dénoua ma cravate et s'assit sur le bord du lit. Elle avait encore son jean, mais les seins nus. Elle frôla mes lèvres des siennes et déboutonna ma chemise jusqu'à la ceinture.

« Vous avez la peau douce, dit-elle. Aussi douce que la sienne. »

L'allusion à Vincent me fit plaisir. Puis elle se déshabilla complètement et, du bout des doigts, elle me massa le front et les tempes jusqu'à ce que je ferme complètement les yeux. (Dans le noir, j'eus la vision d'une épingle à cheveux dorée, posée sur un écrin de velours.) Elle continuait à me caresser le visage, et tant de douceur, de patience finirent par m'ôter ce poids que j'avais sur le cœur, de regret et d'indécence.

« En vérité, je désirais juste voir votre chambre, dis-je tout bas mais énervé.

– Calmez-vous ! Détendez-vous... Vous n'avez pas à vous justifier. Je suis là pour vous. N'ayez aucune crainte. Je ne juge personne... »

Constance se trompait : j'étais calme et j'étais bien. Les yeux fermés, j'attendais dans la nuit, au bord de l'infini, que passe le temps et cette terrible chaleur qui m'enveloppait. Constance me massait les épaules ; je mis enfin une main sur une de ses cuisses.

« Parlez-moi, lui dis-je... Parlez-moi de Baptiste.

– Que voulez-vous savoir ?

158

– À peu près tout. »

Alors Constance guida ma main de sa cuisse à son sexe. Elle voulait tout de même me sentir là, à proximité des raisons pour lesquelles, en général, ses clients montaient. Elle commença à parler, à me raconter ce qu'elle faisait avec Vincent. Je le savais déjà, mais sa version, son regard, ses sensations me remplissaient d'images de Vincent inconnues jusque-là. (Personne, aucune femme ne m'avait parlé de lui de cette manière, de son corps, du grain satiné de sa chair.) Constance ajoutait des détails qu'elle était seule, évidemment, à connaître. Ainsi elle m'expliqua :

« Il arrive que des hommes m'apportent de la lecture. Le plus souvent ce sont des textes assez cochons qui me font rire ! Lui me donne à lire de beaux poèmes ou des passages philosophiques où il est question d'amour et de morale. Ces textes me plaisent. Après... Quand nous avons ensemble atteint notre joie, nous restons un moment dans le lit. Et je lui pose des questions sur certains points, certaines phrases que je n'ai pas bien compris. Et nous discutons... Dans ces moments-là, j'ai l'impression que je suis à côté d'un véritable amant ! Un homme que j'aurais choisi, qui m'apporterait quelque chose et nourrirait mon esprit. Quand j'y pense, c'est ce qui me rend le plus triste... Alors je n'y pense pas. C'est préférable. Baptiste n'est pas mon amant et ne le sera jamais. C'est un client comme les autres, qui a ses exigences et sa folie. Il est trop tard, trop tard pour revenir au point de départ et changer le cours des choses, du destin. »

Je voulus lui caresser le visage, mais Constance m'en empêcha. Elle garda ma main serrée contre son sexe, blottie dans sa douce moiteur.

« Comment vous êtes-vous connus ?

– Oh ! C'est très simple, dit-elle. Il venait de temps en temps dans le quartier, pour voir des filles qui rôdent autour de la Madeleine... Il a fini par me repérer sur le boulevard. Un jour il m'a suivie et m'a abordée. Je lui ai donné ma carte. Comme à vous. »

Constance posa sa tête contre ma poitrine, sur mon cœur. Elle avait la tête lourde, pleine de rêves et de souvenirs.

« La première fois qu'il m'a fait jouir, je ne m'y attendais pas! Et je le lui ai caché. Puis ça a recommencé. Alors j'ai eu envie d'en profiter. Il avait l'air très heureux. D'ailleurs, dès ce jour il m'a donné plus d'argent. »

Il y eut un silence, au cours duquel je rouvris les yeux sur les nuages qui passaient dans la lucarne. Constance se redressa et m'adressa un beau sourire. Elle murmura :

« Baptiste... » (Mais ce nom, dans sa bouche, ne me désignait pas.) Elle se leva, marcha dans la pièce, pour que je la regarde, nue, maigre et admirable, totalement démunie.

« Que voulez-vous savoir encore?

– N'importe quoi!

– Certains hommes confondent l'amour et la sexualité. Et les femmes peuvent s'y laisser prendre. Au départ, j'ai cru que Baptiste était différent. Qu'il fréquentait des filles comme moi, auxquelles on ne s'attache pas, pour ne pas mélanger le sentiment et le plaisir. Puis j'ai compris qu'il était comme beaucoup d'autres, un enfant. Il m'a demandé cent fois de rester et de dormir avec moi... Il n'en est pas question. Je tiens trop à ma peau! »

Constance commença lentement à s'habiller. Sans doute jugeait-elle que j'en avais pour mon compte. Au fur et à mesure qu'elle enfilait ses vêtements, son corps disparaissait et me venaient des regrets. Non de n'avoir rien fait, mais de son absence. (Je regrettais déjà son absence.) Je contemplais le portrait sur le mur : Constance et sa chatte, à la fois obscène et pudique, peinte et mise à nue par un voyeur. Je lui demandai de ne jamais parler à Baptiste de ma visite chez elle.

« S'il ne me demande rien, je ne dirai rien. Mais s'il me paie pour ça, je parlerai ! Il n'y a pas de raison. Donnant, donnant... »

Quelques instants plus tard, elle ferma sa chambre à clef et nous nous engageâmes dans l'escalier. Pendant que nous descendions, elle me précisa qu'un jour elle quitterait tout pour une troisième vie, et ne laisserait aucune trace de son avenir. Elle avait des projets et souhaitait se rendre à l'étranger. Elle n'oublierait jamais son passé, mais le mettrait à sa juste place. Constance n'avait aucune intention d'expier. Elle me récita ces deux lignes de Queneau :

tu as un bon métier tu vis et tu prospères
en profitant des morts

Dans la rue, j'eus vraiment l'impression de retoucher terre. Constance me regarda et me demanda :

« On se reverra ?

– Je ne sais pas. Peut-être pas. »

Elle prit mon bras jusqu'au coin de la rue. Là, elle m'embrassa. Nous avions froid et nous voulions rapidement nous quitter.

« Faites-moi ce plaisir : donnez-moi votre nom. »

Je lui souris et je répondis : « Vincent. »

Nous nous séparâmes sur ce mot. Je m'éloignai, les mains dans les poches, léger comme l'air, à travers Paris et l'hiver. Tout en marchant, j'essayais de revoir en détail la chambre de Constance. Les murs, le lit, la lucarne, le portrait. J'y étais allé et je n'arrivais pas à y croire ! Quelque chose devait manquer que je n'avais pas remarqué. Un objet, une présence qui m'avaient échappé, dont le souvenir m'eût vraiment convaincu de mon passage là-haut. Pour l'instant, je sortais d'un rêve et n'étais sûr de rien. Ce fut seulement le lendemain que je découvris, dans le miroir de ma salle de bains, une longue griffure sur mon épaule que Constance avait dû me faire sans que je m'en aperçoive. Cela me rassura. Cette fille devait éprouver le besoin de laisser toujours une légère blessure sur le corps d'un homme, comme une juste revanche ou un acte d'amour.

22.

Le soir du 31 décembre, je fus invité chez Vincent et Mathilde. Ils revenaient l'un et l'autre de Corse, et Vincent m'apprit qu'il avait trouvé sa mère vieillie. Il avait détesté son séjour là-bas! Sa mère ne sortait plus de sa maison. (Elle parlait sans relâche des mêmes choses, des morts de sa vie.) Mathilde lui avait fait de nombreuses scènes, pour un oui, pour un non. Elle voulait à tout prix savoir qui était cette mystérieuse maîtresse qui occupait tant ses journées et ses pensées. Leïla, elle, n'avait pas quitté Mathilde, perpétuellement accrochée à ses jupes ou à ses bras. Quant à lui, Vincent, il s'était beaucoup promené, sur les plages ou dans les villages, avec une seule idée en tête : rentrer! Nous étions tous les deux au salon (Mathilde, dans sa chambre, se préparait), et Vincent me dit soudain qu'il souhaitait me présenter Constance.

« Pourquoi ?

– Parce que je veux y arriver. Dormir avec elle. Toutes les nuits, toute ma vie.

– Tu es fou!

– Non. Je ne peux plus me passer d'elle. C'est ainsi. Constance est la seule femme qui me ressemble. J'ai fini par le comprendre. Nous avons les mêmes valeurs, la même

163

morale. Nous aimons, l'un comme l'autre, nous écrouler plus bas que terre.

— Tu es fou. On ne construit pas une vie là-dessus.

— Il n'y a rien à construire. Tout cela est vanité. Je veux vivre en paix avec moi-même. Ne plus essayer de gagner sur ce qui est perdu. J'en ai marre de voir passer les jours et les saisons.

— Et Mathilde?

— Mathilde n'a rien à craindre. Je l'aimerai toujours. Mais l'amour n'est pas tout, Baptiste! Sur terre, l'amour n'est pas tout... Tu le sais bien.

— Que puis-je faire pour toi?

— M'aider à finir l'hiver jusqu'à la belle saison. M'aider à vieillir encore quelques mois. Ensuite il faudra... »

Le bruit des talons de Mathilde, sur le dallage du couloir, interrompit notre étrange conversation. Puis elle entra, vêtue d'une robe de laine blanche, et me reprocha d'avoir mis ce soir cette cravate qui ne m'allait pas! Elle me dit qu'elle avait invité un couple d'amis (des acteurs) avec qui elle préparait un hommage à Paul Claudel. Sous ses airs de fête, Mathilde me parut triste et anxieuse. Elle devait avoir ce goût amer auquel j'avais goûté, ce goût d'eau douce et mélancolique. Quand arriva Leïla, je voulus la prendre dans mes bras, mais l'enfant s'agrippait à sa mère, comme prise dans le voile du malheur de Mathilde. Vincent nous laissa un moment. Je les observais toutes les deux et songeai brusquement à Constance (à son corps nu sur le portrait, une chatte entre les jambes). Mathilde se rapprocha de moi et me chuchota :

« Depuis notre retour, je ne crois pas qu'il l'ait encore vue. Mais elle est revenue! Dans ses yeux, dans ses gestes, dans le son de sa voix... Une femme sent toujours ces choses-là. Elle occupe le terrain, toute la scène... »

Mathilde me prit la main, un bref instant, puis me lâcha comme on lâche un ami. Ensuite, elle me parla de choses et d'autres; notre bavardage s'épuisa au son du violoncelle qui emplit alors la pièce (Vincent venait de mettre un disque), et, ne le supportant pas, l'enfant se mit à pleurer.

Au cours du dîner, Mathilde et ses amis ne parlèrent que du théâtre! Échangeant des souvenirs, d'innombrables anecdotes. Vincent fumait cigarette sur cigarette. Je les écoutais, tour à tour amusé, intéressé, indifférent. Par politesse, j'intervenais, posais des questions; je rejoignis enfin le silence de Vincent. Brusquement, Mathilde s'écria : « Il va être minuit! » En effet, derrière les vitres, de l'autre côté de la place, douze coups résonnèrent au clocher de l'église. Aussitôt un concert de klaxons s'éleva des rues; des gens crièrent; et nous nous levâmes pour nous embrasser et nous souhaiter une bonne année! Je vis Mathilde s'accrocher au cou de Vincent; il lui baisa le front, hâtivement, avant de s'approcher de moi. Vincent me prit dans ses bras et me serra très fort : ce fut tout. Il ne m'embrassa pas. Mais j'eus vraiment l'impression, l'espace d'une ou deux secondes, de lui appartenir tout entier, corps et âme intimement confondus. Il se dirigea vers la fenêtre comme s'il ne voulait pas assister au baiser que j'allais offrir à Mathilde. Sa bouche se tendit obscurément vers la mienne, je détournai la tête et me perdis dans le parfum délicieux de ses cheveux. Ensuite, nous bûmes du champagne et Mathilde cria qu'elle voulait s'amuser!

Un peu plus tard, comme je souhaitais rentrer, Vincent me proposa de me raccompagner. Nous laissâmes Mathilde et ses amis et partîmes en voiture dans la nuit. Très vite, je compris que Vincent avait choisi de faire un détour; nous nous retrouvâmes aux portes de Neuilly.

« Qu'est-ce qu'on fait là ?

– Je ne sais pas », dit-il en soupirant.

Nous traversâmes de grandes avenues désertes, nous roulâmes en silence, et plusieurs fois j'eus la tentation de lui avouer que je connaissais Constance. Comme ce voyage se révélait parfaitement inutile, Vincent rentra dans Paris et prit la direction de Montmartre.

« Tu as écrit ? me demanda-t-il.

– Écoute, Vincent !... J'écris un peu. De temps en temps. Ne m'en demande pas plus. Quelle importance ? »

Il haussa les épaules et, sans perdre de vue la route, il me sourit.

« J'éprouve parfois une sorte de dégoût pour ce que je suis, dit-il. Mais il faut bien vivre ! Autrefois, c'était un tourment. Aujourd'hui, c'est un dégoût. Même la philosophie me dégoûte. Je suis, depuis des années, dans la répétition des mêmes idées, du même programme. Quel sale métier ! Tu vois, si c'était à refaire, si par magie je revenais à Saint-Cloud, je t'entraînerais ailleurs. Je ne sais pas au juste où. Mais à l'époque, nous étions vraiment dans la lune, toi et moi. »

(Je ne pus m'empêcher de revoir les couloirs du collège, nos chambres, le parc, et le visage de Vincent au beau milieu du ciel.)

« Tu ne trouves pas ?

– Non, Vincent, je ne trouve pas. J'ai choisi ta voie et ne le regrette pas. Nous étions peut-être dans la lune, mais ça m'est égal ! »

Il arrêta la voiture au coin de la rue ; il avait envie de faire quelques pas jusqu'à ma porte. Il alluma une cigarette et me prit par les épaules. Je reconnus son odeur, sa chaleur, et me sentis extrêmement fatigué.

« Je veux aussi que nous partagions Constance. C'est

pourquoi je souhaite qu'elle te connaisse. Elle a un dos, des fesses, une chatte, tu ne peux pas savoir...

– La chatte de Constance, je m'en fous! »

Vincent s'arrêta et regarda longuement le ciel.

« Le passé, le présent, l'avenir, les femmes : tout t'est égal. Il y a des moments où je t'envie et d'autres pas. Tu as une force d'indifférence incroyable. Je me demande si je ne suis pas le seul être au monde à te faire vivre! »

Comme je baissais les yeux, Vincent me décoiffa d'un geste ludique et tendre. Il ajouta :

« Regarde plutôt ce ciel qui nous attend. Tu imagines tout l'espace que nous aurons un jour pour nous. Nous pourrons rester des siècles et des siècles à admirer le clair de terre. »

Vincent s'éloigna et je vis disparaître son ombre blanche. J'essayai d'imaginer à quoi pouvait ressembler, dans le ciel, un clair de terre. J'eus le vertige et j'eus si peur que je faillis retourner, cette nuit-là, dans les entrailles de ma mère.

QUATRIÈME PARTIE

Clair de terre

23.

Mathilde pleurait; et son malheur était d'autant plus envahissant qu'elle en mesurait l'incontrôlable complexité. Parfois elle essayait de mettre les choses à plat, de réfléchir, de refroidir sa colère et son chagrin. Elle ne souffrait pas de la situation banale d'un adultère en bonne et due forme! Il était probable que Vincent ait eu d'autres liaisons depuis son mariage (des aventures de passage dont aucune n'était apparue à la surface de leur vie commune). Vincent était un homme à femmes : il ne le lui avait jamais caché. Aimer ainsi les femmes, c'est obéir à la vocation de leur conquête. C'est chercher l'oubli de son angoisse dans le mécanisme du plaisir. Se perdre un instant dans l'éternité de *l'éternel féminin*. Mathilde reconnaissait qu'elle pouvait être honorée qu'un homme trouve en elle l'illusion éphémère d'une quelconque éternité. Elle avait aimé, justement, chez Vincent qu'il ne s'embarrassât pas de faux-semblants à l'égard de ses désirs. Longtemps, Vincent avait été un merveilleux amant, qui l'avait aidée à exhiber les nudités secrètes de son corps, en balayant tous les paravents de l'âme. Et Mathilde avait été, d'après elle, une maîtresse docile, puisqu'elle prétendait adorer les hommes! L'idée de faire jouir un homme comptait davantage que sa propre jouissance. La joie d'un amant lui donnait chaque fois la révélation du vrai sens de son être. Mathilde aimait s'offrir aux autres et au public : elle se croyait faite pour cela. Elle éprouvait l'insurmontable nécessité de se donner. Et qu'on ne la prenne pas était pour elle une chose affreuse, injuste, qui la faisait pleurer.

Pleurer, c'est aussi jouir de son malheur. Mathilde trouvait dans les larmes une intime source de joie. Désormais, quand elle pensait à Vincent, les larmes coulaient de son cœur, plein d'amertume et de ressentiment. Elle ne supportait pas qu'il y ait là, tapie dans l'obscurité, une autre femme qui la privait peu à peu du regard (et du sexe) de Vincent. Cette rivale touchait à ce qu'il y avait de plus sacré pour Mathilde : le sacré demeurait son amour du théâtre. Grâce aux larmes, le théâtre de sa vie n'était pas encore tout à fait mort. Elle finit par se persuader que si Vincent, malgré son amour, ne la regardait plus, elle le quitterait ! Mathilde voulait vivre dans sa vérité, être reconnue dans son corps qui était, avant tout, un moyen d'existence et son outil de travail. Elle quitterait Vincent et à Dieu vat... Il n'était plus question qu'elle fût pour lui un pur esprit, sans aucune matérialité, une âme errante dans un corps incompris.

Un jour, elle alla guetter Vincent à la sortie du lycée. Puis elle le suivit en voiture jusqu'à l'Opéra. Il se gara, Mathilde réussit à trouver une place et, de loin, le vit entrer dans un grand café sur le boulevard. Quelques minutes plus tard, Vincent sortit avec Constance à son bras. Elle marcha derrière eux, parmi les passants, jusqu'à l'entrée d'un immeuble, où le couple s'engouffra. Mathilde hésita, puis à son tour poussa le porche, et s'arrêta en bas de l'escalier étroit et sombre. Elle monta lentement les marches, sans faire de bruit, jusqu'au dernier étage. Il n'y avait qu'une seule porte, peinte en blanc. Mathilde s'assit par terre et attendit. Elle resta longtemps dans le noir, recroquevillée, une ombre parmi les ombres, jusqu'à ce qu'elle entendît un cri. Ce cri de femme la réveilla. Elle connaissait bien Vincent et savait ce qu'il exigeait de ses maîtresses. Ce cri ressemblait à de la douleur : la douleur d'être réduite à un pur objet de plaisir. Elle se réveilla et fut presque déçue par la simplicité des choses. Mathilde l'avait suivi jusque-là, jusqu'à cette porte blanche avec une aisance déconcertante. (En général, la clandestinité avait des opacités laborieuses à traverser.) Il avait donc suffi qu'elle le décide, pour découvrir une cachette qui paraissait, au bout du compte, accessible à tout le monde. Même le cri de cette femme, à travers la mince cloison, pouvait être perçu sans tendre l'oreille, comme un cri public haranguant la foule. Mathilde ne se sentit plus malheureuse, mais meurtrie dans son amour-propre, que Vincent subisse une passion si peu secrète; ce qui prouvait sa fragilité, sa faiblesse, son irrépressible besoin d'aimer non pour vivre mais pour mourir. Avoir de l'amour une idée si peu élevée, et à ce point dépourvue de mystère, conduisait à des actes en lesquels Vincent exprimait ce qu'il y avait de détruit et de désespéré en lui. Quelque part, Mathilde eût préféré admettre qu'il était entraîné dans une histoire qui la dépassait. Cet immeuble, cet escalier lui paraissaient sordides! Elle courut vers la rue, comme si elle se précipitait vers le soleil. Dehors elle respira l'air vif, marcha un long moment dans les rues, puis elle eut envie de rentrer chez elle.

À l'abri des murs, elle se fit un feu et se mit à travailler, à réciter à haute voix l'une des *Cinq grandes odes (L'esprit et l'eau)* – qu'elle connaissait maintenant par cœur.

Pendant ce temps, Vincent reposait dans le lit de Constance. La jeune femme prenait une douche, dans la pièce voisine; elle se sécha, enfila un peignoir, puis elle revint vers Vincent qui scrutait, par la lucarne, les lents mouvements du ciel.

« Qu'est-ce que tu as?

– Rien, dit-il. J'écoutais le bruit de la douche et je pensais à ma femme.

– Alors?

– Alors rien. C'était un souvenir. La deuxième fois où j'ai vu Mathilde, elle m'a reçu dans sa loge, au théâtre. Puis elle a pris une douche derrière un rideau.

– Tu devrais cesser de me voir aussi souvent! Tu entretiens avec moi une fausse liaison, qui n'a aucun sens. »

Constance s'assit sur le bord du lit et lui caressa les cheveux. Vincent ne détachait pas ses yeux du ciel. (Il se croyait en voyage, n'importe où, dans une chambre d'hôtel, et ne voulait plus se sentir enfermé au centre de Paris.) Brusquement il la regarda, l'air farouche, et lui demanda :

« Quand accepteras-tu de dormir avec moi?

– Jamais. Tu m'agaces avec ça. »

Constance se leva, marcha, hagarde, dans l'espace nu de la chambre, et décida de s'habiller. Le peignoir glissa le long de ses jambes, elle enfila son slip et des collants noirs. Elle s'amusait de le voir ainsi, boudeur et entêté, et lui dit encore :

« Qu'est-ce que tu as?

– Je ne comprends pas. On s'entend bien tous les deux. Et on pourrait s'aimer de mieux en mieux.

– Je n'ai pas envie de m'entendre mieux avec toi. Et que peux-tu attendre d'une fille comme moi?

– Ce que tu es ailleurs : hors de ces murs, de ce café, de ce quartier.

174

– Ce que je suis ailleurs ne concerne que moi ! »
Constance mit son jean, fit le tour du lit et s'assit de nouveau à côté de lui. Elle murmura d'une voix triste :
« Ce que je suis ailleurs n'a aucun intérêt pour toi. Là-bas, personne ne fait attention à moi. Je t'assure : je suis moins que rien ! »
Vincent l'attira dans ses bras et lui caressa le dos. Il s'échappa par la lucarne, toucha le bord du ciel et redescendit vers elle.
« Je voudrais te prendre tout là-haut, tout là-haut, sous le regard des anges. »
Constance se redressa et le pria doucement de s'habiller. Comme il ne bougeait pas, elle insista :
« Il faut y aller ! Baptiste...
– Assez. Ne m'appelle plus comme ça ! »
Vincent quitta la tiédeur du lit à regret. Il obéit à Constance, enfila rapidement ses vêtements et l'entendit lui dire ceci :
« J'accepte de te mettre devant un choix. Je veux bien dormir une nuit avec toi, mais à la seule condition qu'après cela tu ne me reverras jamais. Tu m'oublieras.
– Pourquoi ?
– Parce que je ne veux pas perdre de temps avec toi. Réfléchis. Tu as le choix. »
Vincent accepta de réfléchir. Ils se séparèrent presque froidement, et chacun s'en retourna chez soi. En chemin, pendant qu'il conduisait, Vincent songea qu'un tel choix avait quelque chose de tentant. Choisir un instant contre du néant, c'était un peu vendre son âme au diable. (Une nuit avec Constance devenait donc un projet criminel et diabolique.) Supporterait-il de ne plus la voir ? Vincent l'ignorait, en revanche il savait que son choix était fait.
Mathilde l'attendait au coin du feu, souriante et détendue.

Elle ne l'accabla d'aucune question, d'aucun reproche, au contraire elle lui proposa de boire un verre et, pieds nus, fit mine de danser autour de lui, tant elle se sentait légère.

« Qu'est-ce que tu as ?

— Rien, dit-elle. Je regardais le feu et je pensais à toi...

— Et alors ?

— *Ô ami, je ne suis point un homme ni une femme, je suis l'amour qui est au-dessus de toute parole !* »

Vincent se laissa lentement dévorer par le feu, absorber par le crépitement des flammes... Au gré de ses pensées, il s'arrêta sur celle-ci : l'ambivalence de l'amour résidait sûrement dans la contradiction de deux désirs parallèles : désir du néant et désir d'éternité. Ballotté de l'un à l'autre, Vincent avait conscience qu'un désaccord aussi profond ne se résoudrait jamais.

24.

Dormir auprès d'elle, c'était mourir avec elle et s'apprêter à renaître. Renaître sans doute sans elle (puisqu'elle en avait décidé ainsi), mais avec le souvenir d'un voyage à travers l'obscurité la plus pure, qui le délivrerait de ce désir d'amour qui lui empoisonnait la vie. Vincent décida qu'il passerait son unique nuit avec Constance à la belle saison, quand les jours se font plus longs. Il verrait ainsi le soleil se coucher sur elle. Vincent souhaitait que cette nuit-là soit si courte que Constance ne se remette jamais de l'avoir contraint à ce choix, et qu'elle pleure, jusqu'à la fin de son existence, sur le corps des amants qui passeraient dans son lit.

Mathilde, elle, ne pleurait plus. Elle avait commencé à répéter une pièce moderne, où elle interprétait le rôle d'une prostituée nullement respectueuse. Quand il l'apprit, Vincent ne put s'empêcher de sourire de cette étrange concordance entre les femmes de sa vie! Cet emploi, apparemment nouveau pour Mathilde, exigeait des qualifications particulières qui, à ses yeux, l'élevaient au rang de Constance, de celles qui n'éprouvent pas le besoin de justifier leurs infidélités et se vouent à une forme de mystique du plaisir, où elles frôlent une grâce de l'absolu de la mort. Vincent voulut lire la pièce. Puis il dit à Mathilde qu'au fond elle avait déjà joué des rôles comme celui-là, travestis en reines ou en bourgeoises... Elle devait profiter aujourd'hui de la chance qui lui était offerte d'aller jusqu'au bout d'un personnage qu'elle n'avait pas eu encore l'opportunité ou l'audace de mettre entièrement à nu. Mathilde y pensa et lui répondit qu'il avait une bien piètre opinion des femmes! Vincent se défendit : « Je ne prétends pas connaître les femmes, mais je cerne assez bien quel est leur drame. Leur drame, pour la plupart, est de vivre dans la perpétuelle terreur du paroxysme. Elles aspirent, naturellement, à atteindre le plus haut degré d'un sentiment, d'une sensation, mais dans la frayeur de s'y perdre et de ne plus en revenir. On leur a trop peu donné les moyens de s'élever! C'est pourquoi elles ont un sens de la souffrance qu'en général les hommes n'ont pas. »

Comme Mathilde se méfiait des généralités, elle préféra ne pas insister et s'en remettre plutôt au sens d'une mise en scène qu'à celui de sa souffrance. Ce jour-là, s'étonnant de l'intérêt soudain que Vincent portait à son travail, elle eut la tentation de sortir de tous les brouillards et d'en finir avec ce désagréable hiver. Elle avoua donc à Vincent l'avoir suivi jusqu'à cette porte, avoir entendu cette jeune femme et n'avoir pas admis que toute cette histoire puisse si banalement se résumer à un cri.

« Tu t'attendais à quoi? À qui?

– Je ne sais pas..., dit-elle. À me retrouver devant une porte de fer. À imaginer qu'il y avait derrière tout un monde qui me séparait de toi. Or là, je te sentais ailleurs, bien sûr, mais je ne vous enviais pas.

– Je crois, Mathilde, que le meilleur de moi-même est derrière moi. Quand j'étais un jeune homme plein d'avenir. Je n'ai pas su grandir et je ne saurai pas vieillir. Je suis incapable de prendre les virages. C'est ainsi. Ma route est droite et monotone avec, de chaque côté, des paysages en trompe l'œil.

– Ne dis pas ça!»

Mathilde alla vers lui mais il s'échappa. Vincent s'approcha de la fenêtre et regarda le ciel. Alors il ne résista pas à lui donner une leçon, au désir d'aller jusqu'au bout de son personnage. Vincent lui raconta son histoire avec Constance et n'omit pratiquement aucun détail. Il lui décrivit la chambre, le portrait sur le mur, le besoin qu'il avait de ces femmes-là depuis toujours. Il fit même les comptes : il connaissait la somme d'argent approximative qu'il avait dû régler à Constance depuis leur rencontre. («Avec tout cet argent, j'aurais pu t'offrir le plus beau des voyages, le tour du monde», précisa-t-il d'une voix émue, haineuse, les yeux brûlants de fièvre.) Puis il lui dit qu'il l'aimait et qu'il aimait aussi Constance, parce qu'elle le renvoyait à sa vérité, à ses ténèbres, à son goût de la mort et à son destin. Après elle, il en aimerait sûrement d'autres : il les voyait déjà! Des filles pour sa joie et s'enivrer du temps perdu. Enfin Vincent lui confia qu'il avait réussi, pendant des années, à contourner son maudit penchant. Mathilde n'y était pour rien, mais ses diverses infidélités, bien qu'elles fussent sans conséquence, avaient fini par le jeter dans les bras de Constance.

Il ne lui avait jamais parlé de cette manière et Mathilde lui en fut reconnaissante. Il la sortait de l'hiver, du gris et du gel. Mathilde lui dit que, depuis cinq ou six ans, elle ne le sentait plus heureux dans l'existence qu'ils menaient ensemble; c'était une vie de rêve et non une vie pour lui! Elle avait encore froid, mais elle savait que le soleil bientôt la réchaufferait, toutes ses forces se réveilleraient. Elle avait mal dans l'instant, mais éprouvait une immense confiance dans l'avenir. C'était plus fort qu'elle! (Et Mathilde songea que ce rôle tombait à point.) Elle alla de nouveau vers lui; cette fois, Vincent ne la repoussa pas. Il la prit dans ses bras.

« Je t'aime, lui dit-elle.

– Je t'aime aussi. Mais sauve-toi. Prends notre enfant et sauve-toi !

– Je ne sais pas... »

Et chacun des deux regagna sa demeure.

Désormais Mathilde ne pleurait plus. Elle répétait et songeait parfois à Constance. Elle convenait qu'elle avait pu avoir elle-même, contre le corps des hommes, certains gestes d'amour qui n'en étaient pas. La différence était que, dans ces moments-là, elle fabriquait de toutes pièces un sentiment quelconque afin de justifier à ses yeux leur présence. Dans le cas de Constance, elle imaginait que le moindre don du corps (loin d'être un abandon) restait une fin en soi. Puis Mathilde changea brusquement de sujet :

« Si ce n'est pas vous demander l'impossible : j'aimerais à présent que l'on passe au tutoiement.

– Pourquoi ? Pourquoi pas ?

– Parce que je vous parle de moi comme je parle à peu de gens. Et puis, le temps passant, des barrières tombent. J'ai même réussi à vous toucher, à vous palper, à vous faire exister pour moi-même et non seulement à travers Vincent.

– C'est encore à prouver. »

Mathilde avait dérangé nos habitudes et m'avait invité à dîner. (Nous soupçonnions l'un et l'autre où devait être Vincent.) Elle avait préparé chez elle un repas délicieux, au cours duquel elle m'avait rapporté ce qui s'était passé dernièrement, et même auparavant : elle n'en voulait plus à Vincent, mais elle n'était pas certaine de se faire une raison. La seule raison qui lui importait était celle de vivre et de jouer, sans dualité et sans blessures.

« J'ai longtemps espéré que nous pourrions avoir chacun

nos plaisirs, nos rêves et nos secrets. C'était un idéal. Vincent est trop sombre pour porter ses silences à la lumière. Je l'ai compris peut-être trop tard... Pour lui la lumière se trouve de l'autre côté de la lumière. »

À mon tour je racontais à Mathilde ce très ancien souvenir que je gardais de lui : Vincent s'échappant d'une fenêtre pour rejoindre une fille, la nuit, dans le parc du collège. À mon sens, il n'avait jamais dépassé cet instant. L'amour, le plaisir et les femmes étaient inexorablement liés à la nuit, à l'interdit. Avec la complicité d'un témoin, d'un ami, il s'arrachait au noir pour revenir à la vie. J'étais parfaitement conscient de l'aimer pour ce rôle qu'il me donnait à jouer : entre le confident et le valet, le parfait Sganarelle! Mathilde se mit à rire, car elle ne me croyait pas; elle pensait que j'étais plus que cela! Un *alter ego* : son envers ou son endroit. À nous deux, nous aurions pu former un couple d'hommes merveilleusement assorti pour une femme. Un fard léger me vint aux joues, Mathilde ajouta en conclusion :

« Ne rougis pas! Ce n'est pas un compliment. Ce n'est qu'un pur fantasme. Une simple idée que je me fais de vous. »

Sur ces mots, Vincent entra en scène. Il portait son imperméable et un foulard noir autour du cou. Il était presque minuit, et il parut surpris de nous trouver là, chez lui, encore à table, comme des hôtes incongrus. Puis il se réhabitua à nos présences et s'installa avec nous. Vincent annonça qu'il avait envie de posséder un coin de terre. Cela lui était venu, d'un coup, comme une évidence. Il voulait acheter une petite maison, quelque part à la campagne, avec un jardin, un simple carré de verdure. Il se tourna vers Mathilde :

« Qu'en penses-tu ?

— Qui sème le vent récolte la tempête...

— Mais encore ?

– C'est une idée idiote. Sous tes airs, tu n'as rien d'un conquérant. Tu n'as aucun avenir sur un coin de terre. Ce n'est ni ton monde, ni le mien. »

Vincent m'adressa un regard un peu perdu. (Moi je préférais le laisser dire...) Vincent précisa à Mathilde qu'il n'avait pas l'intention de se retirer, de s'isoler et de l'entraîner là ou ailleurs malgré elle ! Il désirait fuir de temps à autre Paris, afin de se reposer à l'ombre des arbres, l'été, quand la chaleur atteint son comble. Il pensait aussi à sa fille, au bonheur qu'elle aurait à respirer le ciel.

« Oui, il est temps que tu penses à elle, dit Mathilde.

– J'imagine déjà cette maison. Comme un trait d'union. Avec des fleurs et des livres, des chaises longues et de la musique. »

Mathilde haussa les épaules et sortit de la pièce. Je vis que Vincent avait les larmes aux yeux, mais il ne pleurait pas vraiment ; ce n'était pas du chagrin, plutôt la nostalgie, déjà, d'un devenir trop certain, qui le mènerait au repos et au calme de la terre.

25.

Comme la fin de l'hiver approchait (le ciel était moins lourd et le froid presque mort), Vincent me proposa un dimanche de faire un tour à la campagne. Il vint me chercher de bonne heure, le matin, et nous prîmes la route. La petite fille dormait sur la banquette arrière, avec entre les bras une vieille poupée de laine. Apparemment, Vincent savait où il m'entraînait. Il conduisait, sûr de lui, je le sentais, comme s'il retrouvait un chemin parmi tant d'autres, qui le menait vers un but par lui seul connu. Je ne lui posais aucune question, car j'aimais toujours me placer sous son aile pour mieux goûter la surprise de ses aventures. Quand nous quittâmes Paris, il faisait encore sombre, un peu plus tard, à la sortie de l'autoroute, un petit soleil réussit à percer la masse des nuages. Nous nous retrouvâmes bientôt au milieu des champs, de la terre grise à perte de vue. Vincent arrêta la voiture sur un bas-côté, ouvrit la vitre et alluma une cigarette. D'abord il m'assura qu'il avait besoin de changer d'air : la vraie vie était certainement ailleurs, dans l'herbe ou dans les blés. Puis il m'apprit que nous avions rendez-vous, dans un village perdu, avec une maison. C'était ce village où il s'était égaré une fois, par hasard, où il avait assisté au mariage d'une jeune fille, dont la peau rose et fraîche avait éveillé en lui une curieuse envie d'amour. Il n'y était jamais retourné depuis; mais il avait trouvé récemment le numéro d'une agence qui lui avait parlé d'une maison, certes modeste, mais qui avait une âme... L'âme d'une maison – dit-il – c'est tout ce qui invite à épouser son passé. (Si ce passé avait vraiment de la force et du charme, il parviendrait peut-être, à l'abri des murs, à combattre le sien!) Il ajouta que l'idée d'avoir une maison lui était venue dans la chambre de Constance. Quatre murs nus, sous le ciel, pouvaient suffire à se refaire une vie. Vincent s'en voulait de n'y avoir pas songé plus tôt! La ville n'offrait aucune chance d'évasion imaginaire; au contraire, on y entendait sans relâche le bruit des autres sans plus écouter les battements de son propre cœur. Je ne pensais pas tout à fait comme lui. Je pensais que la ville était l'unique endroit du monde où l'on pouvait divertir ses propres malheurs. « La synthèse, conclut Vincent, est d'avoir deux maisons : l'une en ville, l'autre dans les champs. » Il écrasa sa cigarette et se remit en route. Un peu plus loin, il me montra du doigt le clocher d'une église qui dominait la plaine. C'était là. Nous traversâmes le village désert; à un croisement des chemins Vincent parut hésiter, mais il ne fit aucune erreur, on lui avait tout expliqué : la maison était la dernière, et la clef sous un pot de fleurs sur le bord d'une fenêtre.

« Il n'y a personne?

– Non, dit-il. La maison est vide et je me suis arrangé. »

Vincent réveilla l'enfant qui ouvrit les yeux sur une façade rose et des volets verts. Comme ces couleurs l'enchantèrent, elle sauta de la voiture (oubliant sa poupée) et courut vers le perron. Nous visitâmes la maison en cherchant donc son âme. Les pièces du bas étaient agréablement lumineuses, les murs en excellent état, et le sol couvert d'un vieux carrelage aux motifs fleuris entrelacés; puis nous prîmes l'escalier qui conduisait aux chambres. Il y en avait trois. De l'une d'elles, on voyait à la fois, de l'autre côté du mur, une immense étendue de terre brune et tout le ciel à découvert, que traversaient des nuées d'oiseaux noirs. Vincent me dit : « Elle est faite pour toi. Ce sera la tienne. » Les autres chambres donnaient sur le jardin, où déjà Leïla était en train de jouer sous un marronnier.

« Alors ? me demanda Vincent.

– Crois-tu que Mathilde l'aimerait ?

– Mathilde déteste la campagne. »

Nous montâmes jusqu'au grenier de la maison ; c'est là que nous trouvâmes enfin son âme ! Vincent regarda attentivement le toit et les poutres, la charpente, il semblait satisfait et s'approcha de moi.

« C'est incroyable ! me dit-il. Malgré les années, tu n'as pas une ride.

– Nous ne sommes pas encore bien vieux, tous les deux...

– Parfois, j'ai l'impression d'avoir cent ans, l'âge de cette maison. »

À ce moment précis, nous entendîmes ensemble un bruit rapide, comme un craquement du bois, qui fit tout le tour du toit. (On aurait dit un oiseau prisonnier ou Dieu sait quoi !) Nous levâmes les yeux, mais il n'y avait rien. Vincent me prit la main et je le sentis froid.

« Qu'est-ce que c'était ?

– Je ne sais pas, murmura-t-il. Peut-être un souvenir qui traînait par là... »

Nous restâmes un long moment dans le jardin. L'herbe y était haute, et la végétation à l'abandon, mal traitée. Vincent s'agenouilla et ramassa une poignée de terre qu'il porta à sa bouche. « Tu veux goûter ? » Non, je ne voulais pas. Je ne voulais pas aller jusque-là.

« La terre est acide, dit-il. C'est une saveur qui ne ressemble à aucune autre. D'abord amère, elle devient peu à peu sucrée. »

Après qu'il eut refermé la porte, replacé la clef sous le pot, nous entrâmes dans le village. Vincent voulait retourner à l'église. On y célébrait la fin d'une messe. Il y avait peu de monde, mais une lumière ocre-bleu, envahissante. Un doux soleil traversait les vitraux et se répandait autour de nous comme une coulée de ciel pur et limpide. J'observais le visage de Vincent, inexpressif et lisse, et le trouvai si beau que j'eus soudain une peur infinie de le perdre! Perdre son regard, ses lèvres et sa peau... Perdre Vincent tout entier, dans l'amour de notre amitié. J'eus si peur de cette prison que je sortis pour l'attendre dehors; Leïla me suivit. Assis sur un banc, nous entendions l'orgue, la musique et les chants; l'enfant se serra contre moi et me dit :

« Je suis contente parce que maman ne crie plus, ne pleure plus...

– Tu parles bien, tu sais.

– Je vais dessiner la maison pour la montrer à maman.

– Qu'est-ce qu'il y aura sur ton dessin?

– La maison rose. Le jardin et le ciel. Qu'est-ce qu'il fait, papa, dans l'église? »

Je fus incapable de répondre : je l'ignorais. (Priait-il? Rêvait-il? Chantait-il?) J'eusse tant aimé l'entendre chanter plutôt que de l'imaginer seul et pris dans la cruauté du silence. Encore aujourd'hui, il me paraissait intolérable d'affronter tout silence de Vincent. Heureusement, les cloches sonnèrent et carillonnèrent dans un bruit d'enfer. Il apparut enfin, souriant, les mains dans les poches et me proposa de quitter les lieux.

« Je veux bien, dis-je. Cet endroit me glace.

– J'ai éprouvé ça la première fois. Quand je t'ai téléphoné. J'ai eu le sentiment que ma dernière heure était arrivée. »

186

Vincent regarda encore une fois la maison, quand nous fûmes devant, avec une insistance et une obstination qui me persuadèrent qu'il l'achèterait. Plus tard, nous contournâmes Paris longtemps, longtemps, à travers la campagne, comme s'il voulait dévorer le plus de terre possible avant de regagner les trottoirs noirs de la ville.

Mathilde, qui avait dormi tard, nous attendait et, dès qu'elle eut nourri son enfant, nous demanda d'une voix presque plaintive :

« Alors cette maison?...

– C'est ma dernière volonté, dit Vincent.

– Tous les moyens sont bons pour justifier toujours ce que tu veux.

– Non, répliqua Vincent. Demande à Baptiste...

– Il a raison, dis-je. Cette maison a vraiment une âme. Nous n'avons pas rêvé!»

Vincent décrivit la maison objectivement et sans ardeur. Mathilde écoutait, elle, sans y croire encore, sans parvenir à croire qu'elle y serait un jour heureuse. Puis Leïla apporta son dessin qu'elle donna aussitôt à sa mère. Mathilde observa ce que lui racontait son enfant : la maison était toute petite, comme écrasée sous la hauteur du ciel.

« Mais il n'y a pas de soleil, remarqua Mathilde. L'as-tu fait exprès?

– Le soleil est à côté. »

Et Leïla montra un point dans l'espace hors du dessin.

26.

Le lendemain, dans un couloir du lycée, je croisai Vincent et je revins sur ces mots qu'il avait exprimés à propos de cette maison : pourquoi avait-il parlé d'une dernière volonté ? Il feignit d'avoir oublié et je ne crus pas à son étonnement. («Rassure-toi! me dit-il. De toute façon, une dernière volonté n'est pas un dernier soupir.») Apparemment il ne gardait aucun souvenir d'avoir dit cela. Comme il était pressé, je n'insistai pas et le laissai filer. Plus tard, dans la journée, entre deux cours, je le retrouvai dans un café où nous avions nos habitudes. Vincent était plongé dans des poèmes de Jouve, il me fit signe d'approcher, puis il me lut :

Le ciel est formé d'amours
De restes inouïs de baisers dans les espaces
Qui transparaissent en faux argent sous les verdures
Qui baisent le sol roux et rose de haut en bas

Vincent me sourit et, comme à lui-même, murmura qu'il offrirait un jour ce livre à Constance. Je sentis qu'il désirait parler d'elle. En effet, il m'apprit qu'il la voyait peu en ce moment car elle préparait des examens (provisoirement

Constance occupait surtout les lieux de son autre vie), et qu'il avait renoncé à me la présenter.

« Pourquoi ? demandai-je hypocritement.

– Elle ne le mérite pas. Constance refuse que je m'écarte de mon droit chemin. Je n'ai donc plus aucune raison de ramener tout à elle. Et je rêve de renverser une fois les rôles : elle me le paiera ! »

Il chassa Constance d'un geste fâché de la main et alluma une cigarette. Puis il se lança dans un de ces monologues sur l'amour dont il avait le secret. Vincent prétendait qu'il existait sûrement une fusion entre la perfection de l'amour et la perfection de la connaissance. La vraie joie sur terre, c'était d'aimer sans passion, car la passion, trop intimement liée au malheur, empêchait toute réelle connaissance, non seulement des acteurs mis en présence (de l'un et de l'autre) mais aussi de l'amour même. Le danger, c'était de s'écarter de la raison et d'aimer dans l'imbécillité. Toutefois, si l'homme sans passion restait toujours maître de lui, il restait aussi maître du vide, du néant. L'homme ne recherchait-il pas toujours son malheur pour se convaincre d'exister et d'avoir un destin ? Seule la passion pouvait ainsi l'amener à l'Être, à travers le malheur, l'esclavage et la mort.

Il croisa les bras sur la table et enfouit son visage, comme les enfants à l'école. Au bout de quelques instants, je crus qu'il s'était endormi. Je passai mes doigts dans ses cheveux, Vincent releva la tête et m'adressa un triste sourire.

« L'amour m'aura rendu fou ! dit-il. L'amour, les femmes auront été mes thèmes favoris. J'aurais pu être un politique, un doctrinaire ou vivre dans la béatitude. Non. Il a fallu que je sois un amoureux, subissant la continuelle illusion que sa soumission était de l'héroïsme. »

Nous retournâmes au lycée et, en chemin, Vincent me confirma qu'il s'apprêtait à acheter cette maison.

« Là au moins, me dit-il, je connaîtrai peut-être le bonheur de posséder quelque chose sans passion. Tu vois,
j'aimerais aimer vraiment cette maison. »

Moi aussi j'avais envie d'aimer cette maison, mais, curieusement, j'avais du mal à y imaginer Vincent. Je ne le voyais
pas assis sur une chaise longue, écoutant de la musique,
encore moins en train de travailler la terre avec ses mains ou
des outils. (Parce que, justement, son désir manquait de passion et ressemblait à un caprice ou à une lubie.) En vérité, je
n'avais pas compris qu'à travers ce symbole Vincent espérait
de toutes ses forces se créer des racines afin de contrarier
son instinct naturel qui le portait vers l'empire du ciel. Je
n'avais pas compris qu'il voulait aussi offrir une demeure de
pierre à notre histoire. En me donnant une chambre,
Vincent nous attachait au lieu commun, impudique, de sa
joie à me voir vivre sous son toit. Ne faut-il pas élargir son
monde, repousser sans cesse les murs, afin que l'espace où
nous sommes ne devienne pas un pur tombeau ?

Un autre jour, dans ce café de banlieue, près du lycée,
Vincent et moi discutions, entre deux cours, lorsqu'une
Gitane s'approcha de notre table et nous proposa de nous
dire la bonne aventure. Aussitôt Vincent lui tendit sa main
(parce qu'elle était jeune et jolie – je connaissais mon
homme – avec une expression sensuelle dans les yeux). Mais
elle voulait d'abord un peu d'argent ! Il sortit de sa poche un
billet froissé ; la Gitane s'assit avec nous et observa le paysage de sa main. Elle lui parla (sans les nommer) de
Mathilde, puis de Constance. Elle lui dit que toutes les deux
appartenaient déjà à son passé. Que Vincent, d'ailleurs,
n'avait aujourd'hui aucun avenir, si ce n'était que dans les
femmes de son passé. Elle voyait un enfant, un jeune gar-

çon, qui montait un cheval et barrait depuis longtemps la route de Vincent. Elle évoqua le projet d'un voyage qu'il allait faire seul, en toute liberté. Puis, se tournant brusquement vers moi, elle dit qu'elle sentait battre mon cœur dans la paume de Vincent. La Gitane s'arrêta; elle demandait plus d'argent pour poursuivre sa lecture. Vincent refusa, mais il saisit soudain la main de la jeune femme et ne la lâcha plus. « Laisse-moi! » ordonna-t-elle. Il obéit contre son gré. Elle le scruta droit dans les yeux et quitta notre table en balançant ses hanches.

« Elle n'a pas vu notre maison, dit Vincent.

– Il fallait continuer, la laisser parler... »

Sans doute en avait-il assez de payer pour connaître son bonheur! Il alluma une cigarette et me lança un regard sombre.

La nuit qui suivit, je rêvais à cette scène dans le café. Je rêvais au geste de Vincent sur la Gitane. Il lui avait saisi la main puis, approchant son visage du sien, l'avait embrassée longuement sur la bouche, dans un besoin éperdu de se raccrocher au mystère de son avenir. Ce baiser, dans mon rêve, avait quelque chose de louche et d'obscène. Ce n'était pas un acte d'amour ni même de désir. Mais un acte fatal, où il savourait encore une conquête : sa dernière conquête sur terre.

CINQUIÈME PARTIE

La belle saison

27.

Après l'hiver interminable, le ciel change de peau. Il se découvre, ôte son lourd manteau de laine et ouvre les rideaux au-dessus de la ville. Tôt le matin, des oiseaux viennent chanter sous mes fenêtres pour me tirer de mes rêves obscurs. Leurs voix perçantes semblent leur éclater du cœur ; et la lumière toujours croissante chasse devant elle les dernières ombres et les âmes de la nuit. Ce ciel tant attendu s'étire et se déploie comme pour offrir des lueurs de courage aux travailleurs de l'aube. La ville murmure et la joie m'envahit. Ma joie d'examiner les choses et de m'abandonner à mon désir d'embrasser l'univers, dans un acte d'amour et de compréhension. À la belle saison, le ciel nourrit la terre de rayons et de pluie, qui s'ouvre et donne enfin la vie. Tout paraît possible et simple, et le printemps dissipe les secrets. Les images se forment au grand jour. Les feuilles surgissent. Tout est là, sans inquiétude apparente, dans l'ardent désir de vivre et de mourir, de renaître, en un seul et même mouvement, prolongement, car ce ciel d'azur qui revient de loin est comme une promesse aux plus beaux des voyages. Je me souviens, cette année-là, après l'hiver, d'avoir eu le sentiment merveilleux que je m'envolerais bientôt au-dessus des champs et des collines, bien au-delà de la ville, poussé par la force du vent, pour contempler enfin les enivrantes beautés de la terre. Cela tenait à quoi ? À la conscience des innombrables espaces vides que contiendrait à jamais ma vie, et aux efforts de Vincent de vouloir dilater la nuit pour y faire entrer de plus en plus de rêves... Je souhaitais voir enfin s'ouvrir cette porte (cette porte de verre) et visiter les confins des plus lointains déserts. C'était le ciel qui me portait, qui me portait à croire à l'éternel renouveau, à la jouissance infinie que doivent éprouver les gens qui passent.

Un soir, Vincent passa chercher Constance. Elle était assise devant un verre de vin rouge, en terrasse, vêtue de son jean bleu, délavé, d'un T-shirt blanc et d'un pull-over qu'elle avait jeté sur ses épaules. Elle lisait un journal et avait les yeux auréolés de cernes bleus. Vincent lui dit qu'il l'emmenait quelque part pour la nuit. Elle se mit à rougir et à réfléchir.
« Et ta femme ?
– Je me suis arrangé. Je lui ai menti.
– C'est-à-dire ?
– Peu importe, viens... »
Constance plia bagage et son visage s'assombrit. Elle lui reprocha de ne pas l'avoir prévenue : ce n'était pas si simple ! « Je m'en fous, dit-il, viens. » Constance prit place dans la voiture et se plaignit de ne rien avoir dans son sac, rien, aucun vêtement de rechange, rien ! Vincent lui tendit un paquet contenant quelques accessoires de toilette, du parfum, une serviette et une petite culotte de dentelle. Constance ne résista pas, elle éclata de rire. Elle se blottit contre lui, mais il voulait conduire. Ils sortirent de Paris et se retrouvèrent, plus tard, au milieu de la campagne.

196

« Où m'emmènes-tu ?

– N'aie pas peur. Avec moi tu ne crains rien... »

Constance regardait défiler la nature et le ciel, et cette route devant elle qui s'enfonçait dans l'inconnu, à travers l'étendue paisible des champs. Ils atteignirent le village, l'église et plus loin la maison. Vincent respira profondément l'air un peu piquant, sortit sa clef et invita Constance à le suivre. Il lui dit que toute cette nuit cette maison serait à elle ! Il souhaitait qu'elle puisse s'y sentir à l'abri et chez elle, sans amoncellement de choses inutiles, sans barrières. Ils visitèrent les pièces et le jardin. La maison était encore vide et Constance ne comprenait pas.

« Qu'est-ce qu'on va faire là ?

– Je ne sais pas. Ce que tu voudras. »

Ils restèrent un moment dans le jardin, assis côte à côte par terre, le dos appuyé contre un mur. Constance était à la fois au bord des larmes et au bord du rire. De temps en temps, elle se tournait vers lui (vers sa folie), mais elle n'osait pas le toucher ; elle redoutait que sa main traverse du vide, tant la situation lui paraissait absurde, impossible. Elle avait l'impression de flotter dans une forêt de symboles et d'illusions. Constance avait faim et soif, mais elle n'osait pas non plus parler. Aujourd'hui, le visage de Vincent était irréel et flétri. Il se décida enfin à lui dire :

« Je ne m'appelle pas Baptiste mais Vincent ! Ceci n'est qu'un détail. Je te demande de m'appeler ainsi. Pour une fois, par mon nom.

– Vincent », dit-elle.

Peut-être eut-elle la tentation de lui révéler qu'elle s'en doutait ? De fuir en courant loin de cette maison ? Elle attendit encore et ferma les yeux. Constance sentit que Vincent se levait (elle écouta le bruit de ses pas), puis elle ouvrit les yeux sur le ciel, frissonna, commença à s'habituer aux odeurs de la terre et rentra parce qu'elle avait un peu froid.

Dans la plus grande pièce, il avait allumé des bougies, installé une nappe blanche, sur le sol, des verres et une bouteille de vin, il préparait un feu dans la cheminée, et soudain ils entendirent ensemble un lourd craquement qui provenait des étages, du grenier, comme si quelqu'un marchait là-haut.

« Ne t'inquiète pas! dit Vincent. C'est l'âme de la maison. »

Elle soupira et vint près du feu, dès qu'il fut prêt; Constance avait envie de dormir, de partir, de traverser le temps et l'histoire de Vincent. Il lui offrit à boire et s'assit près d'elle, dans la lumière du feu, il lécha ses lèvres et ses cheveux, puis il sortit de sa poche plusieurs billets soigneusement pliés, qu'il glissa dans celle du jean, sur une fesse de Constance. Ce fut plus fort que tout, elle l'embrassa.

L'argent des hommes la rendait tendre, amoureuse et de bonne humeur. Elle retira son pull, son T-shirt, exhiba ses seins, sa peau blanche, puis elle lui demanda ce qu'il attendait d'elle pour occuper ainsi toute la nuit.

« Je veux te voir. Te voir nue dans cette pièce, dans cette maison. Déshabille-toi complètement! »

Elle obéit, jeta son jean, ses chaussures et son slip à travers la pièce. Elle resta immobile dans la pénombre, se mit à gémir doucement tandis qu'il lui caressait le sexe. Constance lui avoua qu'elle avait imaginé cette nuit tout autrement. Dans les draps propres d'une chambre d'hôtel, avec, à portée de son corps, une baignoire pleine d'eau chaude et de mousse bleue. Vincent rit de bon cœur.

« Les amants sans avenir n'ont nul besoin de luxe ou de confort! Moi je te rêvais ainsi, dépouillée en un lieu désolé. Couchée sur un plancher. Tremblante d'incertitudes. Et loin de tout. »

198

Alors, elle accepta. Constance s'allongea sur le sol dur et frais; ce n'était pas un plancher de bois, mais un dallage fleuri qui leur servirait de lit. Vincent la prit une première fois, avec les précautions d'usage. Il sentit les ongles de Constance s'enfoncer dans sa chair, au creux de son dos. Il avait envie de pleurer, de saigner, qu'elle n'hésite pas à le blesser! Cette fois, il l'empêcha de crier en bâillonnant sa bouche d'une main. C'est lui qui cria, et si fort que l'écho de son cri se répandit dans les pièces vides, comme une âme en peine, pour mourir enfin dans le grenier de la maison.

Ensuite, ils dînèrent. Vincent avait acheté un poulet froid, que Constance dévora; il n'y toucha pas. Il croqua un fruit, ils bavardèrent, puis il lui tendit un livre et la pria de lui lire les passages indiqués par une croix. C'était *Matière céleste* de Jouve; et Constance se mit à pleurer sans trop savoir pourquoi; elle éprouvait une peine immense; et pendant qu'elle lisait, que les larmes coulaient sur son visage, Vincent, lui, en l'écoutant à distance, était tout à sa joie.

« Qu'est-ce que tu as?

– Je me sens seule, dit-elle. Si seule sur terre... »

Pour lui prouver qu'il était là, il la prit encore, sachant très bien que ce serait la dernière fois. Il voulut aller le plus loin possible en elle, au fond de Constance, approcher les abîmes de ses ténèbres et de ses drames. Il sentit qu'il s'aventurait dans un tunnel qui ne le mènerait à rien; mais il continua, il aurait aimé la déchirer, s'enfoncer et rompre le sol, la clouer sur place, s'il avait eu assez de force! N'en pouvant plus, les tempes brûlantes, le cœur malade, Vincent se retira et s'endormit contre elle jusqu'au petit matin.

Au lever du soleil, ils quittèrent la maison et le village. Constance avait l'air de souffrir de sa mauvaise nuit. Il lui dit qu'il lui donnait *Matière céleste* en souvenir. Il espérait qu'elle le lise jusqu'à sa mort. Constance ne promit pas, mais elle le remercia du geste. Ils entrèrent dans Paris, dans la ville encore déserte, éblouis de fatigue et ivres de lumière. Il déposa Constance aux portes de Neuilly. Elle lui dit : « Adieu. » Un instant, il admira sa détermination et la beauté insolente de son sourire.

« Adieu », répondit Vincent et il démarra.

Il aperçut, dans le rétroviseur, sa silhouette arrêtée au bord du trottoir, qui hésitait à traverser. Puis il ne la vit plus. Jamais.

Vincent me raconta leur nuit, persuadé qu'elle l'oublierait, lui, sans doute... Mais qu'elle n'oublierait pas ce rêve qu'elle avait fait, dans sa jeunesse, d'avoir dormi près d'un homme sans visage, dans une maison aussi vide, aussi nue qu'une coquille de noix. Il pensait que Constance avait dû jeter ce livre offert dans la première poubelle, et qu'elle avait eu raison ! À quoi bon obéir, jusqu'à la mort, à un amant disparu, quand la vie continue, avec ses creux et ses bosses, avec ses extases et ses regrets ? Vincent, lui aussi, avait envie de continuer sa promenade, à travers les couleurs du monde, même s'il en avait, malgré la belle saison, une vision de plus en plus ternie.

28.

Vincent retourna seul, plusieurs fois, dans sa maison. Il acheta quelques meubles, équipa la cuisine, débroussailla le jardin. Il fit aussi repeindre en blanc les chambres. Un mois plus tard, il jugea que Mathilde pouvait enfin la visiter (jusque-là, il ne la lui avait pas montrée : la maison était si modeste, qu'il préférait l'arranger d'abord et lui donner un sens). Au cours de ses visites solitaires, il avait peur d'y dormir ; le grand silence de la terre l'inquiétait ; et aussi ces bruits qu'il entendait, dans les poutres du toit, lui donnaient à croire que la mémoire d'un lieu pouvait être pour lui aussi dangereuse que le corps d'une femme. Le danger était cette attirance irrésistible vers une dimension, merveilleuse et désespérée, où il transcendait les lois ordinaires de la vie. Un soir, ces bruits étranges furent si nets et si clairs que, persuadé d'une présence, il monta au grenier. Il attendit et, comme rien ne se produisait (aucun esprit, aucun fantôme n'apparaissait), il se sentit bizarrement oppressé, son cœur se mit à battre à une vitesse accélérée, Vincent craignit de tomber sur les lattes du plancher et réussit à descendre. Il se coucha, épuisé, sur la terre du jardin, les yeux dilatés sur l'immensité violette. Là, il se sentit prêt à tout. (À mourir, s'il avait dû !) Il éprouvait une insoutenable douleur au cœur, mais aussi un bonheur absolu à abuser d'une impression physique fulgurante qui le projetait de la terre au ciel. Il ignora combien de temps il resta ainsi, étendu presque évanoui, tendu vers le soir qui se penchait doucement vers lui. Quand la douleur disparut, il retrouva ses esprits; Vincent quitta la maison, convaincu que son âme était entrée en lui! Comme si l'aventure de l'amour pouvait encore lui réserver un avenir et que l'avenir redevenait un mystère. Toute douleur passée, c'était une extase éblouissante qui succédait à ses premières craintes. (Maintenant, il tâtonnait dans le musée de ses connaissances oubliées et vacillait telle une flamme tremblante.) Vincent gardait la sensation et la certitude d'avoir pénétré, quelques minutes ou quelques heures, dans une région inconnue de l'espace et de lui-même, où il avait perdu son équilibre, les repères habituels de ses limites, pour s'élancer vers la matière nue des ténèbres. (Ou bien, me dit-il, plus raisonnablement, était-il en train de devenir fou, mais éclairé par une sensibilité infinie?)

Quand Mathilde vint enfin, elle portait une tenue de ville (un tailleur noir, strict, et des talons hauts) et refusa d'aller jusqu'au fond du jardin. Elle trouva la maison agréable et charmante, mais ne comprenait toujours pas la raison de l'achat. Vincent lui expliqua qu'ils pourraient y passer des week-ends et qu'elle pourrait y travailler : lire des pièces, apprendre ses rôles et même rêver... Mathilde ne se sentait pas du tout appelée par les choses de la nature; et tout sentiment de solitude l'effrayait. Elle avait besoin de la rumeur et de la foule des rues. Des boutiques et des bistrots. Du regard des hommes sur elle, quand elle marchait. Là, dans ce coin perdu, elle avait le corps lourd et ne cédait à aucun goût de l'aventure. Ils dînèrent dans la cuisine et couchèrent leur enfant. Devant la joie de sa petite fille à avoir une maison pour elle, Mathilde songea que les plaisirs de l'enfance valaient bien un effort. Elle fit seule le tour de la maison, huma l'air du soir et les humidités de la plaine, elle glissa peu à peu dans une douce torpeur et se dit que, peut-être, cette fraîcheur et cette pureté l'empêcheraient d'avoir trop de rides autour des yeux... Elle entra dans le salon et demanda à Vincent de faire un feu. Depuis la visite de Constance, les cendres de leur nuit reposaient dans l'âtre. Vincent en saisit une poignée pleine dans sa main ; puis il mit du papier et du bois afin d'en consumer bientôt le dernier regret. Mathilde s'assit dans un fauteuil de velours rose (acheté récemment dans une brocante) et se mit à lire une pièce russe, puisqu'elle n'avait rien d'autre à faire. Elle avait ses longues jambes croisées, des bas sombres, le visage ailleurs et la bouche légèrement entrouverte, fardée de rouge, sur laquelle elle passait sa langue, comme pour se donner à elle-même une contenance. Vincent la regardait. Il la trouvait belle, voluptueuse et délaissée. Peu à peu il désira sa femme, comme il pouvait désirer les autres. Dans l'oubli de leur histoire, de leur passé, de leurs reproches et connivences. Il la désira comme lors de leur première rencontre, quand il ne savait rien encore de Mathilde ! Il s'approcha d'elle et glissa une main sur ses bas. D'abord elle résista à cette caresse. (Elle voulait lire en paix, au coin du feu.) D'une voix lasse, elle se plaignit de cette main qui cherchait à la distraire ; elle leva la tête et, négligemment, pour en finir, caressa les cheveux de Vincent. Il continua et ses doigts atteignirent le haut des bas. Alors Mathilde se laissa faire. Comme Vincent voulait lui cacher les marques de sang sur son dos, il décida qu'ils ne se déshabilleraient pas, qu'il la prendrait ainsi dans son tailleur de ville ; et lui entièrement vêtu s'engouffrerait dans son obscurité infinie.

Mathilde fut surprise de la violence de cet acte sur elle. Sans doute ne s'y attendait-elle plus! Elle en fut si heureuse que, pour le satisfaire, elle cria, et son cri se répandit de pièce en pièce (sans réveiller l'enfant) jusqu'au grenier de la maison.

Plus tard, elle alla se coucher. Avant, elle dit à Vincent qu'elle aimerait cette maison, s'il lui prouvait qu'il savait l'aimer, elle, Mathilde, entre ces murs, comme il l'avait fait ce soir! Sinon, pour elle, y venir demeurerait un choix résolument absurde. Vincent répondit qu'il comprenait.

Quand elle fut montée, il monta à son tour mais au grenier. Il tenait une chandelle qu'il posa sur le plancher, s'assit à côté et attendit. Il fut aussitôt envahi par l'extraordinaire silence de la nuit, tout autour, et se laissa gagner par une plénitude aussi profonde que le sommeil. Il se mit à parler, à s'adresser à l'âme de la maison. Il dit qu'il n'avait plus peur et qu'il n'aurait plus mal. Il lui avait offert en offrande ce cri de femme. En retour, il priait pour retrouver ce moment d'extase, ce moment de folie, qui pouvait devenir un état éternel. Il pria avec tant de ferveur et de sincérité qu'il crut toucher une forme d'abstraction la plus pure. Il tendit une main et, sans y voir clair, il eut le sentiment de toucher le corps humide du ciel. Vincent ne rêvait pas; quand il porta la main à sa bouche, elle était comme couverte de sueur ou de rosée. Il eut envie de s'écraser au sol, de dormir là! Mais il désirait si sincèrement que Mathilde aime cette maison (autant que lui-même pouvait aimer son âme) qu'il préféra gagner sa chambre et se blottir contre le dos lisse, sans égratignures de sa femme.

Le lendemain, ils firent une promenade, tous les trois, dans le village. Ils voulurent entrer dans l'église, hélas il était trop tard, la porte était fermée. Mathilde glissait à cause de ses chaussures; Vincent se moquait de son obstination à s'imaginer toujours être boulevard Saint-Germain; Leïla cueillait avec frénésie toutes les pâquerettes qui bordaient leur chemin. À l'endroit précis où la campagne commence, Mathilde refusa d'aller plus loin, prise d'une légère inquiétude à devoir suivre la perspective d'une telle succession de champs et de forêts. Alors ils revinrent sur leurs pas. (Vincent eut l'idée de m'appeler, de me dire bonjour, de la cabine, mais, ce jour-là, elle était en panne.) Quand ils rentrèrent dans la maison, ils entendirent ce craquement sinistre qui résonna au-dessus d'eux, dans l'espace magique des abîmes du toit.

« Qui est là ? demanda Mathilde.

– Un jour ce sera moi », dit Vincent.

Mathilde n'avait pas envie de rire, Vincent non plus! Il la serra contre lui, dans un élan presque désespéré. Il lui dit qu'il n'avait jamais cessé de l'aimer, malgré tout, malgré les saisons et la vie. C'est pourquoi il ne la quitterait jamais, même mort il ne la quitterait jamais! Mathilde eut un léger sursaut et le repoussa d'un geste tendre. Aujourd'hui, elle se méfiait des aveux de Vincent. Désormais, son désarroi l'emporterait toujours sur le désordre de la mort.

29.

Au théâtre, nous n'avions pas beaucoup aimé Mathilde dans cette pièce moderne, où elle jouait le rôle d'une prostituée française dans une lointaine colonie, empêtrée dans le bordel de sa vie! Vincent et moi l'avions trouvée trop sentimentale, portée par un souffle qu'elle fabriquait au milieu des phrases, un lyrisme sans rapport avec le sujet. Après la représentation, nous l'avions rejointe dans sa loge et nous le lui avions dit (elle manquait de réalisme). Il y avait là le metteur en scène, qui nous avait écoutés et voulut la défendre. Il nous expliqua que le personnage de Mathilde avait, sous ses airs impudents et cyniques, un côté fleur bleue qu'il était important de rendre, pour justifier certaines de ses désolations. Vincent répondit qu'il avait rêvé de perdre sa femme dans une sale histoire, où elle serait la réplique exacte de quelques-unes de ses maîtresses! Or, Mathilde n'arrivait pas, dans cette pièce, à lui faire oublier qu'elle était toujours sa femme... «Quand on vit avec une actrice, dit Vincent, on désire profiter de tous les retournements possibles de situations. N'est-ce pas son avantage sur les autres qui, normalement, n'aspirent qu'à être elles-mêmes?» Mathilde éclata de rire et nous entraîna dehors. Elle nous prit à chacun le bras et posa tour à tour sa tête sur nos épaules (comme l'aurait fait Constance). Le théâtre était hors de la ville, dans une banlieue assez proche du lycée. Il me semblait que Mathilde et Vincent avaient renoué avec leur passé.

Ils paraissaient amoureux, en tous les cas sans conflits apparents.

Et je songeai que cette maison les avait sans doute rapprochés de nouveau, comme un lieu scelle les liens et leur donne un nouvel essor dans le plaisir et la jubilation. Nous entrâmes dans la voiture de Vincent, puis nous nous perdîmes dans les banlieues; nous errâmes longtemps à travers les petites villes de la périphérie, jusqu'à nous retrouver, ahuris, devant la porte du lycée.

« Et voilà notre théâtre! s'exclama Vincent. C'est là que Baptiste et moi faisons subir, chaque jour, le drame des idées à de très jeunes âmes qui ne tendent vraiment qu'à connaître la vie par leur corps!

– Qu'est-ce que le drame des idées? interrogea Mathilde.

– C'est notamment de poser le principe que l'homme ne peut vivre sans. Or les idées, dans le message qui est le nôtre, entretiennent l'illusion de l'action. L'idée donne souvent une représentation trop écrasante du monde. Le drame, c'est la confusion de deux intentionnalités : celle d'exprimer et celle de réaliser.

– Non, dis-je à Vincent. C'est une question de point de vue. Car, pour moi, la réalité demeure encore un idéal. »

Mathilde regardait l'énorme bâtiment qui s'élevait dans la nuit, comme un temple obscur et sans vie, érigé au sommet d'une colline, et nous dit qu'elle préférait son théâtre à elle! Avec ses lumières, ses costumes, ses jeux de miroirs.

Nous finîmes la soirée dans un bar de Montmartre, où nous bûmes beaucoup, puis nous marchâmes dans les rues, sous un ciel étoilé, et nos pas nous guidèrent rue Saint-Vincent. Mathilde voulait voir la maison derrière la glycine.

Vincent n'y tenait pas, mais il était trop tard pour l'éviter. Au rez-de-chaussée, les fenêtres étaient allumées. (Des inconnus vivaient aujourd'hui dans ce lieu, en ignorant tout de ceux qui les avaient précédés.) « Cette maison avait aussi son âme, dit Vincent. Mais elle était trop proche de moi pour que j'en goûte la part d'inconnu et le mystère... Il faut aimer les lieux comme les êtres, sans préjugés. Partons d'ici ! » Nous montâmes en haut de la butte. Nous observâmes Paris en silence, un long moment, en songeant peut-être tous les trois que l'âme d'une ville s'élevait jusqu'à nous, enveloppée de fumée et de brume, et que nous laisserions à jamais l'empreinte de nos souffles, de nos regards, dans la matière nébuleuse d'une histoire qui, après nous, continuerait de flotter, au-dessus des cheminées, et au gré du courant d'une hypothétique éternité.

Le samedi suivant, nous partîmes, Vincent, Leïla et moi (Mathilde étant retenue au théâtre), à la campagne, avec une cargaison de vaisselle et de livres. Il faisait ce jour-là un temps radieux et très chaud pour la saison. Aussitôt arrivé, je montai dans ma chambre et fus heureux de trouver, sur la table de nuit, ce recueil de poèmes de Verlaine que Vincent m'avait autrefois offert, et qu'au moment de partir je lui avais rendu. En définitive, Vincent avait rajouté, pour prolonger nos différents échanges sur l'amitié, une feuille de papier sur laquelle il avait recopié un poème de Nietzsche (extrait de *Dernière volonté*), qui commençait ainsi :

Ainsi mourir
Comme j'ai vu jadis mourir –
L'Ami, qui a dardé éclairs et regards
Divinement, dans ma sombre jeunesse.

Il avait placé devant la fenêtre un petit tréteau de bois, sur lequel se dressait une lampe; il y avait aussi mis en évidence un grand cahier vierge et de quoi écrire. J'avais apporté des pages manuscrites que j'avais rédigées, au hasard des jours et des nuits, où il était beaucoup question du ciel et de notre vie au collège. Devant le paysage qui s'offrait à mes yeux (comme je n'avais nulle envie de jardiner), je m'assis et, doucement, je repris le fil de mon récit. Au milieu de l'après-midi, Vincent entra et me dit l'air un peu moqueur : « Ah! je vois que tu as compris. J'espérais bien que, dans cette pièce, tu écrirais pour moi.» Il me laissa et, un peu plus tard, je le rejoignis en bas. Il avait rangé ses livres sur les étagères, la vaisselle dans des placards, remué la terre et arraché d'innombrables mauvaises herbes. Il était assis sur une marche du perron, fumait une cigarette et contemplait son œuvre. Nous étions pris dans les rayons du soleil, et je sentais Vincent planer dans ses rêves, dans un bien-être savoureux, comme s'il revenait à la vie et à sa première jeunesse. « Tu vois, me dit-il soudain, j'ai beau m'évertuer, avec plaisir, à mettre un peu d'ordre dans ce minuscule bout de terre, je n'arrive pas à m'y attacher comme je l'espérais! Tous mes efforts me mènent irrésistiblement là-haut. » Il se retourna et m'indiqua la cime du toit. Il haussa les épaules et ajouta :

« Décidément seul l'interdit m'attire.

– Qu'est-ce qui est interdit ici ?

– Des choses qui échappent aux lois de la nature. Des choses qui tracent les frontières de notre existence.

– Quelles sont les frontières? Nous savons l'un et l'autre qu'elles ne tiennent pas debout. Ce sont de pures conventions.

– La terre vue du ciel ne risque-t-elle pas d'être aussi conventionnelle que la plus élémentaire loi de physique ?

Au fond, qu'en savons-nous? Ce qui m'écœure, c'est de céder sans relâche à mes élans, à mes envols, à mes amours. C'est de retomber pour de nouveau déployer mes ailes... La terre vue du ciel m'angoisse autant que les montagnes qui m'écrasent. Mais c'est plus fort que moi! Mort ou vivant, mon esprit ne restera jamais en place.»

La petite fille vint en courant vers nous du fond du jardin. Elle avait trouvé un gros coquillage, et nous nous demandâmes comment il avait échoué là! Les hasards du monde nous mettaient-ils sur des pistes étranges? Ou bien avions-nous oublié que nous vivions sous d'anciennes mers, d'anciens marécages?

Vers minuit, alors que j'étais dans mon lit, j'entendis les pas de Vincent monter l'escalier du grenier. J'eus la tentation de sortir, de l'appeler pour qu'il n'y aille pas! Mais à quoi bon l'empêcher de poursuivre son histoire? Là-haut, il y avait encore l'aventure. Et je me souvins de la Gitane qui avait prédit à Vincent qu'il ferait un voyage seul et en toute liberté. N'était-ce pas ce voyage dans la mémoire du temps (passé et avenir confondus) qu'il entreprenait jusqu'au vertige de son destin? Vincent éprouvait une passion pour des craquements, des bruits inexpliqués : pour l'âme obscure de la maison. Il avait tous les droits : de construire et de détruire ce qui lui appartenait en propre, ses libertés et ses aliénations.

30.

Il y eut un jour ce retour à Saint-Cloud. Depuis quelque temps, Vincent me parlait d'un pèlerinage qu'il souhaitait faire avec moi dans l'enceinte du collège. (Alors il m'emmena.) Nous partîmes du lycée, de bonne heure après nos cours, et nous prîmes la route en longeant la Seine. Vincent était pâle et amaigri ; à l'observer, je me demandai s'il ne couvait pas une quelconque maladie. Il m'assura que non ! Il ne s'était jamais senti aussi en forme, ces week-ends à la campagne lui procuraient une force nouvelle. Il subissait sans doute un léger surmenage, comme chaque année, à la belle saison.

Je me souvenais en effet qu'à cette époque il avait souvent sa mine des mauvais jours. Malgré les apparences, il dégageait, c'est vrai, une vitalité nerveuse et une joie de vivre qui faisaient plaisir à voir. Pendant le trajet, il m'expliqua que l'idée d'aller à Saint-Cloud lui était venue récemment dans les bras de Mathilde. Il avait retrouvé dans ses cheveux l'odeur d'une plante qu'il y avait dans le parc du collège. Il avait alors revu une étroite allée bordée de belles fleurs rouges remplissant des arbrisseaux qui, d'après lui, étaient des fleurs de sauge. Vincent gara sa voiture devant la haute grille noire et entra dans la loge du gardien (ce n'était plus le même, depuis le temps!). Pendant qu'il cherchait à obtenir la simple permission d'une promenade entre les arbres, je regardais au fond les bâtiments éclairés par le soleil puis, levant les yeux en l'air, je reconnus le ciel. Je me dis qu'il n'avait pas changé : il avait cette profondeur unique qu'ont les ciels admirés à travers les barreaux. Non que le collège ait été pour moi une prison! Mais c'était un lieu clos, une vieille forteresse, où nous nous sentions trop souvent surveillés. Vincent me fit enfin signe d'entrer. À peine avions-nous franchi le seuil de notre passé, qu'il me décoiffa et me tira les cheveux, comme s'il voulait encore me perturber, me chahuter, me violenter! Un peu plus loin, nous croisâmes un groupe d'adolescentes, et Vincent se retourna en me disant qu'il n'avait jamais cessé de bander (même en rêve) pour les premières filles qu'il avait aimées.

Nous marchâmes assez longtemps en suivant nos vieux chemins; nous nous assîmes sur ce banc où nos visages s'étaient rencontrés. Vincent désira tenter l'ultime expérience d'un effet qui ne saurait sans doute plus me procurer la moindre émotion. D'un bond il se leva, se posta derrière le banc et se pencha vers moi. Aucune surprise ne pouvait donc se produire, mais je fus encore indiciblement troublé de saisir son visage sur ce fond d'infini. Curieusement le visage de Vincent ne semblait plus aujourd'hui tomber du ciel, mais s'y rallier entièrement, fondu à sa pâleur, à sa transparence; et cela me fit peur.

Quand il se rassit près de moi, il alluma une cigarette et me dit :

« Tu as dû me trouver bien vieilli.

– Fatigué, oui.

– Pourtant j'ai l'impression que c'était hier.

– C'était hier.

– Baptiste... »

Et ce mot-là, dans sa bouche, rien que ce mot me fit tomber amoureux – moi qui avais toujours une si grande inaptitude à l'amour – de cet homme inconnu qui avait une fois de plus daigné compatir à mon destin.

«Baptiste..., reprit-il. J'ai l'impression que nous sommes suspendus à un fil. À quoi nous relie-t-il? À une force secrète grâce à laquelle nous ne nous perdrons jamais. J'en suis sûr.»

Il posa une main sur mon genou et nous continuâmes à déambuler, comme autrefois, entre les pelouses et les tulipes multicolores. Nous nous arrêtâmes à l'entrée du bâtiment où nous dormions. Nous ne souhaitions pas rentrer, ni là ni ailleurs. Nous voulions rester dehors, à l'écart, nous ne voulions pas revoir les classes, tous ces visages.

Nous nous rendîmes vers les tennis et le gymnase. Ils étaient déserts comme un dimanche. Vincent me demanda soudain ce que je comptais faire de mes années futures. (Serais-je toute ma vie professeur, dans un lycée de banlieue? Irais-je m'établir ailleurs, très loin, au-delà des frontières? Écrirais-je et finirais-je ce que j'avais commencé?) En vérité, je n'en savais rien; je n'avais jamais eu de projets concrets et parvenais très bien à m'en passer.

«Ta vie pourrait repartir d'ici, dit-il. Imagine... Rien n'est jamais définitif. Allez! Fous le camp! Engouffre-toi dans les femmes! Fous le camp!»

Il avait haussé le ton et je le sentis presque en colère. Je répondis calmement que pour rien au monde je ne repartirais de zéro. Zéro était un chiffre fatal, un puits sans fond dont je m'étais, grâce au ciel, éloigné depuis longtemps. Vincent sourit et se mit à marcher à reculons devant moi, comme s'il voulait me voir dans un sens inverse au sien, tandis que nous marchions dans la même direction.

«Zéro, me dit-il enfin, est la plus mauvaise note, mais

c'est aussi le chiffre qui contient le plus d'infini. N'as-tu pas eu tort, au fond, de t'en éloigner? »

Nous cherchions les fleurs de sauge pour en cueillir une, en hommage à Mathilde. Nous fîmes un dernier tour dans le parc sans trouver notre bonheur. Quand nous sortîmes du collège, le gardien nous salua et Vincent lui tira la langue. « Ce gardien ne sait même pas qu'il protège l'accès de mes premiers amours! » Puis, d'un commun accord, nous décidâmes de ne plus jamais remettre les pieds dans l'impossible réalité de toute une époque, qui n'avait plus aucune chance de survie.

Dans les semaines qui suivirent, me souvenant de notre passage à Saint-Cloud et des questions de Vincent sur les années à venir, je me fixai le projet d'apprendre à conduire. Je ne pensais pas que cela m'offrirait plus de liberté, mais au moins me permettrait de ne plus être un éternel passager.

Je fis alors de nombreux rêves, parmi lesquels celui-ci : je roulais sur une route, à travers une plaine, avec près de moi Vincent endormi, une carte étalée sur ses genoux. C'était une carte du ciel, avec le nom des planètes et des galaxies. Soudain je regardai par la vitre, et, pris de vertige, j'aperçus un très profond précipice. En bas, il y avait la maison de Vincent, aussi minuscule qu'un jouet d'enfant. Je le réveillais pour qu'il m'explique où nous étions réellement. Vincent ouvrait les yeux et me disait : « Tu ne rêves pas! »

La voix de Vincent, cette nuit-là, précisément dans mon rêve, me tira brutalement du sommeil, et je me sentis mal. Je fus gagné par une angoisse inexprimable, un besoin éperdu de l'entendre me confirmer que ce n'était en effet qu'un étrange cauchemar, dont je n'avais à tirer aucune leçon ni conséquence. Il était bien trop tard pour lui téléphoner; et son silence le prit comme à défaut d'une inexplicable absence d'amitié. Je dus quitter mon lit, fiévreux et agité, et poussé par l'irrépressible nécessité de respirer l'air de la nuit, j'ouvris une fenêtre et je m'ouvris au ciel.

(Alors je pus m'envoler, longtemps, au-dessus de la ville, délivré peu à peu de ce poids sur ma poitrine, et je pus m'élever si haut et si loin que j'aperçus, sous moi, la colline de Saint-Cloud.)

Il y a dans le voyage, comme dans le sentiment amoureux, la passion de l'ailleurs, le désir inassouvi de prendre toutes les routes, et d'aller n'importe où, jusqu'au bout. Parfois d'aller si loin qu'il devient impossible de revenir. Le besoin de se perdre et de perdre tout sens de l'orientation, le bon sens et la raison.

Cette nuit-là, accoudé à ma fenêtre, hanté par mon rêve, je m'évadais, parce que je ressentais que le silence de Vincent avait quelque chose d'impardonnable. Quelque chose que seul un empêchement majeur (comme l'empêchement de vivre) pouvait justifier.

Et me revint cette belle idée, que j'avais lue autrefois : s'il aspire sans relâche à s'incarner dans le monde qu'il voit, c'est que *l'homme est un être des lointains*.

31.

Le ciel sans aucun nuage, parfaitement bleu et lumineux, confère au monde une stabilité soudaine. Et pourtant les images du jour tombent en averse sur moi, ruissellent le long des murs qui m'entourent et sur les pentes du toit. Apparemment rien ne bouge, tout semble fixé pour l'éternité, mais à travers cette resplendissante vision je perçois le trou noir par lequel mon esprit est secrètement aspiré, comme si quelqu'un me tendait une main pour que je sorte enfin de mes doutes et me fonde dans l'obscur mouvement des profondeurs célestes. Quelque chose en moi résiste : mon amour de la terre, des sensations aiguës grâce auxquelles mon corps frissonne, de saison en saison, et l'immense plaisir qui émane de mes incertitudes, de cette durée devant moi où j'espère parfaire encore mes connaissances. Le ciel tremble comme cette page blanche où se consignent les reflets, les souvenirs, les sentiments et les pressentiments. La nature est-elle trop vague ? Ou bien est-ce moi qui, à force de chercher à tant éprouver la passion mystique de l'adoration, n'arrive plus à démêler mes convictions de mes intuitions ? La perfection peut-elle triompher du chaos ? Et nos limites tendent-elles vers l'inachevé ? Il suffit d'un simple cri de douleur, d'un simple rugissement pour que toute vision gracieuse se trouble et soit brisée.

Depuis toujours le monde est coupé en deux : en haut, le domaine des dieux; en bas, celui des hommes et du temps. D'où vient cette extraordinaire tentation du voyage qui nous fait sortir de nous, comme un approfondissement progressif de nos contradictions, un désir de s'incorporer dans la durée spirituelle qui relie la terre à l'éther? Les joies d'ici ne sont jamais assez divines pour le commun des mortels. Et ceux qui idéalisent la vie réelle nient les dieux pour mieux les imiter et mieux les remplacer. L'ensemble ne sera toujours qu'un pur détail, mais un argument dominant si l'on veut se sentir maître et puissant de sa raison et de ses actes.

Le ciel étale ses racines au-dessus du relief et des accidents qui inondent la terre, brûlante et sèche. Mon esprit bourdonne, suffoque; je me dédouble. Je me vois assis à cette table, devant la fenêtre ouverte, seul et perdu au dernier étage d'un immeuble, au fond d'une rue. Je vois autour la vie furieuse, insensée que mènent les autres, avec pourtant la même ardeur, la même volonté et les mêmes impuissances que je mets ou subis dans l'existence qui peuple mes jours. Je m'imprègne de ce mélange, de la foule des corps, et, au bout du compte, je n'échappe pas à la fulgurante et désespérante solitude qui me ramène au vide et à mes peurs. S'il n'y avait pas l'amour comme un éblouissement, en lequel il nous arrive de croire que l'instant présent contient tout, je n'imaginerais rien au-delà des ombres qui s'allongent et je prendrais en haine le reste du monde.

Il me plaît à penser que l'amour rend solides les abîmes du néant. Que sur le front du ciel je peux déposer ma bouche et un baiser. Même si j'éprouve parfois un sentiment de défaite et d'épuisement, je me confie sans courage aux âmes qui veillent sur moi, et ma consolation est de pleurer sur mon sort des larmes d'une débordante douceur; puis, en dirigeant mes yeux vers le large, je permets au ciel d'être une terre habitable.

32.

Quand le soleil se leva, j'attendais toujours que la voix de Vincent vienne me dire que je n'étais pas encore sorti d'un mauvais rêve. Je regardais Paris, les toits luisants, les clochers des églises et les coupoles dorées des monuments; il me semblait qu'une présence immatérielle m'accompagnait, ce matin-là, dans chacun de mes gestes, chacune de mes pensées. Je me livrais tout entier à mon désir de me perdre, de me consumer, mais il y avait sans cesse comme un souffle (quelqu'un respirait dans mon cou, sur mes paupières et par ma bouche). Malgré moi, je pleurais en silence sur ce jour nouveau que j'étais seul à connaître. Ma vie me parut soudain une île déserte, dont un enfant pourrait aisément faire le tour, perdue au milieu des vagues de l'Être, sans ami, sans soutien, sans âme qui vive – une île aussi dérisoire que la planète du Petit Prince. J'attendis longtemps, puis, comme rien ne se faisait entendre, aucun écho, je me recouchai pour dormir quelques heures.

J'avais si peur de prolonger mon rêve que je priais le ciel qu'il me délaisse et ne m'entende plus! Mon vœu fut exaucé et je pus trouver un semblant de repos.

J'appris la mort de Vincent, plus tard, à midi. Mathilde

me téléphona et je ne reconnus pas sa voix. Elle murmurait, mais ses phrases étaient nettes comme des couperets que je sentais tomber sur mon crâne. Sa voix était si douce (à contre-emploi) que les mots chargés de sens, sans contourner le drame, avaient une sonorité d'une fraîcheur inconnue jusque-là. Elle me dit :

« Vincent est mort cette nuit.

– Je m'en doutais. Que s'est-il passé?

– Vincent est mort cette nuit. Je ne sais pas ce qui s'est passé. Nous étions dans la maison... J'ai entendu du bruit... Ce bruit, tu sais... Je suis montée au grenier et je l'ai trouvé là... Écrasé sous une énorme poutre avec, juste au-dessus de lui, une ouverture béante dans le toit. Je crois qu'il est mort sur le coup, les yeux dans les étoiles. »

Mathilde commençait à pleurer, mais elle réussit à continuer, à tout recommencer :

« Vincent est mort cette nuit.

– Je m'en doutais. Que s'est-il passé?

– Vincent est mort cette nuit. Nous étions dans la maison et je l'ai entendu m'appeler. Je suis montée au grenier... J'ai juste eu le temps de le voir tomber... Il avait ses deux mains posées sur la poitrine... Je ne croyais pas qu'un cœur si jeune pouvait lâcher... »

La voix de Mathilde était encore douce et claire; ses phrases s'enroulaient autour de moi comme des rubans de soie et m'empêchaient de vraiment réaliser et comprendre ce qu'elle cherchait à m'expliquer.

« Que s'est-il passé?

– Vincent est mort cette nuit. Nous étions dans la maison... J'ai entendu un cri. J'ai su que c'était lui. Il n'était pas encore couché. J'ignore ce qu'il faisait là-haut, dans ce maudit grenier! Il a crié, puis il a dévalé la pente raide de l'escalier. Sa tête a cogné sur le bord d'une marche. Il n'a pas souffert. Il est mort tout de suite. Voilà ce qui s'est passé... »

Les morts de Vincent auraient pu se succéder ainsi, l'une après l'autre, jusqu'à la tombée de la nuit, et même au-delà, comme un phénomène sans fin, comme les cycles naturels de la vie.

« C'est impossible ! dis-je enfin.

– Si. Si. Je suis encore là-bas. Je te rappellerai... »

Et Mathilde raccrocha. J'eus la nette impression que j'étais à mon tour en train de trépasser. Je m'assis sur une chaise et, dans la nécessité de m'en tenir à un système logique, à du solide, je me mis à réfléchir et à me demander laquelle, parmi les différentes morts de Vincent, il me fallait choisir ! Si Vincent avait fait une chute fatale, c'est qu'il était vraiment tombé de haut. (À quelle idée, à quel sentiment, à quelle découverte avait-il pu, cette nuit-là, succomber ?) Je n'en revenais pas et, en même temps, cela me paraissait si simple, si bête, que je m'en voulais de ne pas y avoir pensé dès le premier jour, dès notre rencontre. Les images du passé défilaient et je retins celle où Vincent, assis près de moi sur le perron, regardait, d'un air joyeux, la terre de son jardin, parce que autre chose l'attendait et qu'il le savait bien.

Ce fut plus fort que moi : j'ouvris la fenêtre et, désespérément en rage contre le ciel, je hurlai son nom, *Vincent*, si fort, que ce jour-là la ville entière apprit son existence et ma douleur.

Mathilde arriva chez moi en fin d'après-midi. Elle était à la fois d'une dignité exemplaire et incapable de me donner le moindre détail. Elle avait les yeux rougis, les lèvres gonflées, mais les joues roses et le regard parfaitement présent. Elle me dit sur un ton d'excuse : « Il est mort un dimanche. Nous ne le reverrons plus. » Puis elle s'assit dans un fauteuil, croisa et décroisa les jambes. Elle ajouta : « J'ai prévenu sa mère. La pauvre femme ne comprenait pas le sens de mon message!... » Mathilde me pria de lui faire du thé et nous commençâmes à bavarder; nous découvrîmes en remuant les jours et les années que Vincent était mort depuis longtemps.

Je lui pris la main, baisai le bout de ses doigts, elle soupira : « Heureusement, je joue demain! Un lundi, pour une fois. On enregistre la pièce... C'est une chance, non? »

Oui, c'était une chance qu'elle joue demain.

Mathilde préférait que le corps de Vincent ne repose ni à Paris, ni dans le cimetière du village, mais en Corse, avec les siens, au bord de la mer... (Et je me souvins de cette parole de Vincent : « Mort ou vivant, mon âme ne tiendra jamais en place. ») Je le sentis avec nous, tout à coup, dans les feux du couchant qui illuminaient le mur blanc. Vincent était partout présent, il prenait ses aises dans le ciel, dans l'espace, il était partout présent, présent au monde et à la conscience globale que j'en aurais désormais.

Puis nous nous enfermâmes dans un long silence. Un silence recueilli à la mémoire de Vincent. Ensuite, à bout de forces, Mathilde se redressa et me demanda :

« Que vas-tu faire, Baptiste?

– Je vais conduire, écrire... Vivre pour lui!

– Je ne vendrai pas cette maison. Il l'avait achetée pour toi, pour nous. N'oublie jamais que tu y as une chambre et un toit. »

Au moment de partir, elle s'effondra dans mes bras. Elle pleura sur ma joue, dans mon cou, et me parla à l'oreille. (Je retrouvai, impassible, le goût salé de ses larmes.)

« Pourquoi aimait-il tant jouer avec le vide ?

– Avec le vide, avec le feu, avec la terre...

– Crois-tu qu'il ait joué avec moi ?

– Non. Je ne peux pas dire ça ! C'est moi qui ai joué avec toi, ici, une fois.

– Oui. Je me rappelle... »

Mathilde m'assura que si elle avait besoin de moi, dans la nuit, elle n'hésiterait pas.

« Et Leïla ?

– Je l'ai laissée dormir jusqu'au matin. Elle n'a rien entendu. Ni les bruits, ni les cris, ni les va-et-vient. Quand je lui ai appris la mort de son père, elle m'a dit : Papa est mort, mais il reviendra. Les morts reviennent toujours, puisque les morts sont éternels... »

Mathilde me laissa et, du palier, j'écoutais le cliquetis de ses talons sur le bois de l'escalier.

Je refermai la porte et, comme je m'ennuyais et m'attristais, pour me changer les idées, je fis un tour au ciel.

Cinq ou six jours plus tard, je me rendis en Corse pour assister aux obsèques de Vincent. (Je partis tôt le matin et rentrai le soir.) C'était la première fois que je posais le pied dans cette île ; j'avais toujours refusé d'y aller, comme si je pressentais qu'y rejoindre Vincent serait un acte grave et conséquent, dirigé contre nos habitudes. Il y eut une cérémonie dans une église dont je revois avec une terreur éblouie la puissante lumière ; mais je sortis avant la fin, ne supportant pas l'intolérable épreuve. Au cimetière, un homme que je ne connaissais pas s'approcha de moi et me demanda :

« De quoi est-il mort au juste ?

– D'une mort surnaturelle. »

Et quand il fallut jeter sur lui une poignée de terre, je m'en remis à son corps, et choisis plutôt de lui lancer une belle poignée d'air aux parfums enivrants et chauffé par le soleil.

Mathilde me raccompagna à l'aéroport. (Elle regagnait Paris le lendemain, car elle avait encore des détails à régler.) Je la trouvai belle dans son habit de veuve, les traits tirés, la bouche sèche et blanche. Elle fit quelques pas avec moi, dans le vent qui soulevait la soie noire de sa robe. « C'est le destin ! » me dit-elle. Oui, le destin de Vincent l'enveloppait magnifiquement de ses voiles.

L'avion m'arracha au sol et me projeta sans prudence loin de cette journée. Et je me dis, pour en revenir une dernière fois au destin, qu'il n'était sans doute coupable d'aucun crime. Le destin n'avait aucune raison d'être moral. Il n'était ni un bon ni un mauvais maître, mais une donnée intuitive de l'existence, sur laquelle l'homme pouvait avoir une prise, s'il comprenait que, quoi qu'on lise, rien n'est jamais écrit.

33.

À l'approche de l'été, je pris seul la route et, profitant du beau soleil, je m'arrêtai en chemin, au bord d'un bois, pour fumer une cigarette et m'allonger un moment dans l'herbe, l'esprit vagabond et rêveur.

Des oiseaux criaient de toutes leurs forces, j'entendais le froissement de leurs ailes dans les feuillages, j'écoutais les bruits de la nature, toutes ses secousses se répercutaient en moi, et je sentais, heureux et léger, le poids de la terre contre mes flancs. Une heure plus tard, arrivé à destination, j'aperçus Mathilde sur une chaise longue, habillée de noir, le visage masqué par de larges lunettes, qui reposait au milieu du jardin, avec un livre posé sur les genoux. Je m'approchai sur la pointe des pieds, mais elle ne dormait pas, sa bouche m'adressa un sourire, et elle me dit : « Grâce au silence, j'ai reconnu le son de ta voiture. » Leïla courut vers moi et se précipita dans mes bras. Elle ressemblait de plus en plus à Vincent, et cela me faisait chaque fois du bien et du mal de la tenir serrée contre moi. Je pris une chaise et m'installai près de Mathilde.

« Que lisais-tu ?

– Du théâtre. Encore et toujours du théâtre ! »

Le soleil tombait sur nous, nous enveloppant de son filet

brûlant; le jardin sentait bon, il y avait les premières roses et un parfum de chèvrefeuille qui se répandait jusque l'intérieur de la maison. Mathilde me demanda gentiment quelles étaient les dernières nouvelles.

« Je travaille et j'écris. Je vais au lycée. Et j'ai décidé, cet été, de retourner en Italie, mais cette fois en voiture pour me perdre sur les routes.

– Méfie-toi! Ta conduite est encore maladroite. Tu manques d'assurance, mais ça viendra... »

Elle retira ses lunettes, et je compris à voir ses yeux complètement immobiles qu'elle avait toujours l'air d'être aveugle, mais que son regard devenu fixe se vidait avec les jours de sa détresse et de son inquiétude.

Mathilde me tendit sa main et je la pris avec joie. Je gardai un moment son poing mort, inerte, roulé au creux de ma paume; puis elle l'ouvrit et sa main s'envola de ma branche à la sienne, avec une grâce légère.

« J'ai lu tes premiers cahiers, me dit-elle. J'ai mis du temps, mais je n'y arrivais pas! J'avais peur. »

J'allumai une cigarette et j'aperçus sur une montagne du ciel un homme qui m'envoyait des signes.

« Je n'ai rien à t'en dire. La vie est ainsi faite. Mais il y a une seule chose que je veux rectifier.

– Bien sûr, c'est ton droit!

– Souviens-toi de ce jour où tu m'as suivie, sur le boulevard. J'ai su très vite que tu étais derrière moi. J'ai aperçu ton reflet, un instant, dans une vitrine. Et je suis entrée dans cet hôtel exprès pour toi. Je n'avais aucun rendez-vous, aucun amant ne m'attendait.

– Qu'est-ce que ça change?

– C'était un mensonge. J'avais besoin de te mentir, comme à moi.

– Pourquoi?

« – J'avais envie de jouer devant toi... De te faire croire que je pouvais être capable de ça... Je suis entrée dans cet hôtel, mais j'en suis vite sortie. Ensuite, j'ai traîné longtemps dans les rues. Un homme m'a abordée, il était en voiture, et je ne sais plus, quand il a ouvert la portière, si je suis montée avec lui...

– Qu'est-ce que tu racontes?

– N'en parlons plus. »

Mathilde se leva et entra dans la maison. Demeuré seul, au soleil, je songeai que Mathilde n'avait peut-être jamais existé, ou bien d'une manière inachevée, avec des blancs, des plages immenses sur lesquelles venaient mourir des vagues de désirs et d'incertitudes.

Nous passâmes la journée à remuer des souvenirs et, quand le soir tomba, je réussis enfin à la faire rire. Son rire éclata comme un orage dans le ciel, elle me dit que c'était bon! Bon de rire et de vivre, bon de pleurer, bon de passer sans cesse du drame à la comédie. Elle s'étira, déploya ses ailes, et je compris qu'elle aussi savait où rejoindre Vincent.

Après dîner, l'enfant se coucha et je lui lus une histoire. Elle ne voulut pas en entendre davantage et me chassa de la chambre. Je croisai Mathilde dans le couloir qui était fatiguée et voulait dormir. Elle me promit que demain, si le beau temps durait, elle ôterait sa robe de deuil et s'habillerait pour moi d'une robe légère et claire, aux couleurs de saison.

Quand la maison fut entièrement silencieuse, quand la nuit déroula ses épaisses ténèbres et que le ciel devint noir, j'ôtai mes chaussures et doucement, sans faire de bruit, une fois de plus, une chandelle à la main, je m'engageai dans l'escalier étroit et sombre du grenier.

En haut de l'escalier, la porte était toujours blanche et je me risquai à frapper. Constance m'ouvrit et me dit que je tombais bien : elle était là toute seule ; en ce moment, elle ne recevait plus personne. Sa chambre n'avait pas changé, mais je la voyais enfin dans une lumière nouvelle, presque d'été, des rayons jaunes tombaient des lucarnes, qui éclairaient le lit. Constance portait son jean délavé et un T-shirt noir sous lequel se dessinait la forme de sa maigre poitrine. Je m'assis sur le lit et je vis qu'elle avait gardé, sur la table de chevet, *Matière céleste*, le cadeau de Vincent.

« Vous ne l'avez donc pas jeté au fond d'une poubelle ?
– Je ne jette jamais rien. Je garde tout. Ce qui ne m'empêche pas de continuer à vivre et d'oublier. »

Elle s'assit sur une chaise, écarta les cuisses, comme sur le portrait. Elle se reprit :

« J'ai oublié pas mal de choses, mais je n'ai pas encore oublié Vincent. J'attends. »

J'allumai une cigarette et Constance me proposa un verre de bière. Elle me proposa aussi de m'étendre sur le lit et de dormir si je voulais...

« Merci, mais je n'ai pas sommeil.
– Vous êtes venu pour que je vous aime, n'est-ce pas ?... »

Elle se mit à rire et s'approcha de moi, versa la bière dans le verre, et quand son rire cessa, il en restait encore des traces au fond de ses yeux, mille lueurs.

« ... Je suis capable de jouir mais pas d'aimer ! Vous vous faites des idées... »

Elle prit ma main qu'elle glissa en haut de ses cuisses. À travers la matière rêche du jean, je reconnus la moiteur de son sexe, là où elle enfermait à jamais ses richesses et tout son manque d'amour.

« Je vais vous lire un passage », dit-elle.

Elle ouvrit le livre et je vis son doigt s'arrêter sur une page marquée d'une croix. Alors sa voix s'éleva comme un chant vers le plafond et la lucarne. Quand elle eut fini, elle essuya ses larmes et reposa le livre d'un geste las.

Constance me regarda, l'air attendri, puis murmura ce mot qui lui rappelait sans doute quelque amertume : « Baptiste... » (Je fermai les yeux et me sentis dériver dans le tunnel de son corps, luisant d'écume et de mystère.)

Elle me dit encore deux ou trois choses : elle ne recevait plus personne ici parce que, depuis les beaux jours et l'été venant, sa chambre était devenue une fournaise, un lieu irrespirable. Elle y était passée aujourd'hui, par hasard, pour écouter ses messages. C'était une chance de m'avoir revu... Elle ajouta : une dernière fois! Puis elle se leva, se planta au milieu de la pièce et, cherchant à être spirituelle, elle me montra ses seins.

Ensuite nous quittâmes ensemble sa chambre. (Elle ferma la porte à clef et la rangea dans son sac.) Nous descendîmes l'escalier, sans mot dire. Une fois dans la rue, elle s'accrocha à mon bras. Ce jour-là, je n'avais pas de voiture; il faisait si beau, si chaud, que nous décidâmes de marcher un peu, tous les deux, jusqu'à la place de la Concorde. En chemin, Constance me fit promettre de ne plus jamais l'appeler, ni de passer la voir à l'improviste dans sa chambre ou même dans le café. De l'oublier, de la laisser... Puis nous nous engouffrâmes dans l'escalier et les couloirs du métro. Comme nous ne prenions pas la même direction, nous nous séparâmes, il fallait bien! Constance me serra la main et je la vis s'éloigner, disparaître.

Il y avait là, dans le métro, sous la terre, un orchestre de chambre qui jouait une musique dont les sons se répandaient à travers les couloirs et la foule déferlante; et cette musique dut poursuivre Constance aussi longtemps qu'elle courut après moi.

(Enfin je ne l'entendis plus, la musique se changea en silence.)

Si les passions de l'amour ont souvent un sort tragique, c'est que tous les hasards ne sont pas surmontables. Mais à quoi bon ? La passion fait de la mort un symbole de vie, de la raison une métaphore de l'aberration la plus haute. Plus le spectacle est noir plus sa valeur ne devient-elle pas lumineuse ? Quand il rentra chez lui, Baptiste ne savait plus dans quel monde au juste il vivait, et dans quelle sphère il avait perdu son Moi. Il regarda encore le ciel et pensa à Vincent ; il se dit que les choses pouvaient parfaitement continuer ainsi, puisque son seul amour vivait en lui (son seul ami), et que rien n'était jamais définitivement perdu. Là-haut, la vie des morts ne tenait qu'à un fil, au même qui le reliait à eux ! Baptiste savait aussi qu'il détenait la preuve que la terre et le ciel le laisseraient éternellement désorienté.

Alors (comme il croyait toujours à la télépathie des sentiments), il ferma sa fenêtre sur les malheurs et sur les joies du monde et, d'un coup sec, tira l'immense rideau bleu.

Composé et achevé d'imprimer
par la Société Nouvelle Firmin-Didot
à Mesnil-sur-l'Estrée, le 10 novembre 1993.
Dépôt légal : novembre 1993.
1ᵉʳ dépôt légal : juillet 1993.
Numéro d'imprimeur : 25439.
ISBN 2-07-073594-X/Imprimé en France.

67359